多様性《ダイバーシティ》が
日本を変える

Japan's Future Through Diversity

鈴木雄二
SUZUKI YUJI

幻冬舎MC

多様性《ダイバーシティ》が日本を変える

はじめに

２０２０年夏、国を挙げてコロナ禍への対応に追われるなか、ショッキングなニュースがありました。

日本の国際競争力が前年の世界30位からさらに4ランク下がり、過去最低の34位になったのです（ＩＭＤ〈国際経営開発研究所〉「世界競争力年鑑２０２０」）。

かつて、１９８９年から１９９２年まで、日本の国際競争力は４年連続で世界第１位だったのが、その後日本の順位は低下の一途をたどっています。

企業の時価総額ランキングを見ても、１９８９年の世界トップ30社のうち、実に7割にあたる21社が日本企業であり、しかもトップ5を独占していました。しかし、現在はトップ30社に日本企業は1社もなく、ようやく41位にトヨタ自動車が顔を出すだけです。

バブル経済崩壊後は「失われた30年」と揶揄され、かつて世界第1位の競争力を誇った日本は、今では「クールジャパン」と世界から讃えられるマンガやアニメ、ゲーム以外、ほとんどなにも革新的なものを生み出すことができていません。

なぜこれほどまでに日本の国際競争力は落ちてしまったのでしょうか。

私は、香港に拠点をおき、ヨーロッパ、中東地域を含め世界にグループ会社100社を展開しながら事業を行っています。グローバル市場で事業を成長させることができたのは、人種や民族、国籍にこだわらない多様な世界で生きた経験があるからだと確信しています。

日本人を両親にもつ日本人でありながら、私の生まれはブラジルのサンパウロ。小・中・高は日本で過ごしましたが、大学はアメリカで数学を学び、そして、大学院で出会ったアフロアメリカンの女性と国際結婚をしました。

その後、アメリカの重量物ダンボールメーカーから、数理知識を活かしたコンサルティングを求められて入社。ハーバードのビジネススクールやＩＢＭのインターンとして派遣され、ビジネスの基本を叩き込まれて日本に赴任しました。1年がかりで合弁相手の日本企業を探し、設立後も日本に残って、合弁先である日本企業の、独特の人間関係や商習慣と闘いながら、アメリカ側責任者として22年間にわたり経営を行いました。その後、マネジメント・バイ・アウト（ＭＢＯ）で、アメリカ側企業が所有していた資本を取得し、日本側企業との合弁事業を５年間継続したのちに合弁契約を解消し、独自資本で事業を再起動しました。それから中国での国有ダンボール工場の買収をはじめ、東南アジア、ヨーロッパなど各国に進出し、今に至ります。

私は日本人ですが、あたかも一人のコスモポリタンのように多様な世界で生き、仕事をし続けてきたのです。

だからこそ、国際ビジネスのなかで、なぜ日本が孤立し、存在感を喪失しなければならなかったか、その理由が分かります。

それはこの30年が、尋常の30年ではなく、パソコンとインターネットが結びつくことで爆発的なイノベーションが進行したことが大きく関係しています。あっという間に30億とも40億ともいわれる人々がダイレクトにつながるという世界が生まれたのです。そして、この巨大なコミュニケーション環境下で、今までにない新たな価値観、文化が醸成されました。

そういう世界で勝ち続ける企業は、さまざまなバックグラウンドをもった人間が、日々ユニークな発想やアイデアを持ち寄り、時には、奇想天外と思われるような意見を闘わせています。一律ではなく多様性を受け入れ、それを尊重する社会や組織こそ強いのです。

しかし、日本はもともと多様性や、そこから生まれる〝型破り〟を認めようとしない社会です。それは周囲に面倒を強いるものであり、失敗に終わった挑戦は恥として非難されてしまうことも少なくありません。目立つことはしないに越したことはない。ズバリいえば、日本は他国と比べ多様性を嫌う社会です。

「男女平等」「女性活躍推進」「ダイバーシティ経営」などと盛んに口にしています。ところが最近の日本のジェンダー・ギャップ（男女格差）指数は156カ国中120位でした（WEF「The Global Gender Gap Report 2021」）。最初に調査が行われた2006年は80位ですから、この15年で、改善どころか、むしろ40ランクも下がっているのです。女性は家に留まり、家事や育児をすべきだという意識が今でも根強く支配している。そんな調子では、この社会、この文化から、イノベーションは生まれません。

建前ばかりの男女雇用機会均等やダイバーシティで、自らをごまかしてはいけない。それはむしろ「やったつもり」になることで現実を見る目を曇らせます。今こそ本当の多様性を身につけ、「失われた30年」を脱して再び歩みだささなければならないのです。

本書では、現在の日本がなぜ世界で存在感を示すことができないのかについての問題提起に始まり、教育、ビジネス等に多様性を受け入れて、日本が多くの国から尊敬され、世界をリードしていくために今、なにをすべきか、私の提言をまとめました。

日本がこのまま足踏みを続ければ、私たちは次世代に大きな負の遺産を残すことになります。私たちの責任で後退を食い止め、未来を切り拓いていかなくてはなりません。

多様性のある真に豊かな日本を築き、日本の社会で、そしてグローバルな社会で活躍するために、これからの時代を担っていく皆さんのなんらかのヒントになれば幸いです。

目次

第3章　欧米諸国から学ぶ、日本に必要な「真の多様性」

第4章 世界のトップ企業が行う「ダイバーシティ経営」多様な人材を集めれば、個人・組織が成長できる

第5章　日本を愛せば多様性への理解はさらに深まる——グローバル社会で〝日本人の強み〟を活かせ

第6章　「真の多様性」を受け入れて、世界をリードする国となれ

第 1 章

なぜ世界で日本人は活躍できないのか

さまざまなランキングで順位を下げる日本

現在の日本の国際競争力は過去最低の34位です（ＩＭＤ「世界競争力年鑑２０２０」）。アジア・太平洋地域に限っても、14カ国（地域）中、10位。日本といえば、アジアでは常にトップというイメージがありました。しかし今は、後ろから数えたほうが早い位置にいます。

残念ながらほかにも、日本の凋落を示す数字はいくらでもあります。

「ダボス会議」の名前で知られる世界経済フォーラム（ＷＥＦ）の年次総会では、毎年「世界で最も持続可能な企業１００社」を発表しています。最新の２０２１年のランキングによると、そのなかに日本企業はわずか5社しかありません。これも10年前は19社の名前が並んでいましたが、約４分の１にまで減ってしまいました。

「それでも日本はＧＤＰ世界第３位の経済大国ではないか」という人がいるかもしれませ

ん。確かに、2010年に中国に追い越されたあとも、かろうじて3位という位置はキープしています。しかし、1990年から現在までの30年で世界のGDPは約3・6倍に拡大しているのです。実際、アメリカのGDPも3・5倍に拡大、ドイツは2・4倍、イギリスも2・3倍に拡大しています。しかし日本は1・6倍にとどまり、日本のGDPが世界のGDPに占める割合も、1990年は14%でしたが、現在は6%に届きません。

しかも、経済規模を表すGDPは、人口の多さが大きな要素になります。減少に転じたとはいえ、約1億2550万人という世界第11位の人口を擁する日本は、それがGDPの数値を押し上げます。そのことも考え合わせれば、まだGDPは3位だと胸を張ることはできません。

経済だけでなく、社会制度や意識の面でも、日本の遅れは目立ちます。

デジタル化の遅れは、コロナ禍でのさまざまな対応で暴露されましたが、スイスのビジネススクールであるIMD（国際経営開発研究所）の「世界のデジタル競争力ランキング2020」によると、調査対象の63カ国・地域中、日本は27位です。前年は23位なので、この数字も下がっています。

職場でのさまざまなハラスメントや大手メーカーの検査データ偽造といった不祥事も一向になくなりません。日本の労働者に対する「勤勉でモラルも高い」というかつてのイメージは大きく傷つけられています。

東京オリンピック・パラリンピックを前に、もはや死語と思われていた「男尊女卑」が社会のなかに根強く残っていることも暴露されました。

組織委員会の会長であった森喜朗氏が「女性がたくさん入っている理事会は時間がかかる」とうっかり口にした事件です。「女性はこういうもの」という一方的な決めつけは、森氏個人の頭の中だけでなく、今も日本の社会に無意識の偏見、つまりアンコンシャス・バイアスとして根強く残り、さまざまな点で、女性の活躍における障害となっています。

実際、２０２１年のジェンダー・ギャップ指数が１２０位であることはすでにご紹介しましたが、男女賃金格差はＯＥＣＤ（経済協力開発機構）加盟37カ国中36位（ワースト２位）、女性管理職比率（管理職に占める女性の割合）も１８９カ国中１６５位と極めて低い数字です。

「女性活躍推進」が華々しく掲げられ、ダイバーシティがもてはやされるなかでも、「男性中心の企業社会」という現実は変わっていないのです。

また、先の森発言問題の折には、氏が責任を取って辞職する身でありながら、後継者を指名し、さっそくその人物が就任の意欲を公表するといった出来事もありました。ずっと繰り返されてきた日本の組織の悪弊が今も残り、国の枢要な組織で行われ続けているのです。

成功体験が捨てられず、過去の栄光にしがみつく

20世紀の終わりから21世紀にかけて、世界は劇的に変わりました。

東西冷戦に終止符が打たれて人とモノはグローバルにつながり、さらにインターネットが情報を瞬時に運ぶようになって人々の暮らしもビジネスモデルも、すべてが変わりはじめました。ＩＣチップの性能向上は指数関数的に進み、高性能化したモバイルコンピュー

タと世界の隅々まで張り巡らされたデジタルのネットワークをベースに、今も世界は変化し続けています。

しかし、日本はその変化についていけませんでした。

それを端的に示すのが、「はじめに」でご紹介した企業の時価総額ランキングです。

2020年12月に亡くなったエズラ・ボーゲル氏の著書『ジャパン・アズ・ナンバーワン』が出版されたのが1979年。その後も日本企業は1980年代を通して圧倒的な勢いでアメリカをはじめとする世界の市場を席巻、1969年に、西ドイツを抜いてGDP（当時はGNP）世界第2位に躍進し、1989年の世界の企業の時価総額ランキングで、上位30社のうち21社を占め、まさに日本経済は絶頂期を迎えました。しかし、2021年の現在、上位30社から日本企業はすべて姿を消したのです。

1990年代の10年、そして21世紀の初めの20年、合わせて30年の間、ちょうど世界がコンピュータやインターネットなどの新たな技術で大きく変貌していく時期を、日本は「失われた30年」として過ごさざるを得ませんでした。

おそらくその原因のひとつは、品質が高く安価な工業製品の提供で築いた地位にこだわったからでしょう。欧米の技術をキャッチアップし、持ち前の器用さと勤勉さを発揮してものづくりで世界の市場を席巻し、「made in Japan」を高級品の代名詞として世界に定着させたのは事実です。しかし今、さらに安価で高品質の製品を提供する国は、中国、台湾、韓国をはじめ、世界に数多くあります。国内の賃金も上昇し、もうこの競争では勝てなくなっていたのに、成功体験が捨てられず「高品質・低価格、大量生産」のものづくりにこだわり続けたことが、低迷の大きな要因です。

最近は世界的な半導体不足から、かつて世界市場で圧倒的なシェアを誇った日本の半導体産業がなぜ行き詰まっているのかということが話題になっています。これも、製造技術が一般化し、製品がコモディティ化して価格競争になるなか、過去の成功体験に固執し、半導体チップの集積率を高めることだけを追求していたことが原因だと考えられます。大量生産からニーズの多用途化に応えた多品種少量生産へという、半導体戦略の大胆な切り替えができなかったのです。

過去を懐かしんでいるうちに、世界はあっという間に先に行ってしまいました。

「日本って結構いけてるんじゃないの」という強がり

日本の停滞の原因は、過去にしがみつくことだけではありません。今、現状で別にかまわないじゃないか、という肯定論が増えているのです。これも日本が変わることを押しとどめる要因になっています。決して声高にというわけではありませんが、「日本の今のどこがだめなの？　そこそこ食べて、平和に、安全に、それなりに楽しい人生が送れるじゃないですか」という人は多いのです。

私の古くからの友人である坂東眞理子さん（昭和女子大学理事長・総長）も「確かに、今のままでいいんじゃない?という声をよく聞くようになりましたね。これは私の仮説ですが、中国はじめ世界の多くの国に技術や産業で抜かれてしまった。でもこの負けは認めたくないから、強がって、日本はいいと言っているのではないでしょうか」と話していました。

私も同感です。

今必要なことは、過去の日本の経済的な成功を懐かしんだり、「そこそこ安定」といった肯定面を探してきて安心したりすることではありません。

よく知られている「茹でガエル」の寓話があります。カエルはいきなり熱いお湯に放り込まれたら慌てて飛び出しますが、水からゆっくり茹でられたら、まだ大丈夫、まだ大丈夫と思っているうちに飛び出すチャンスを逸し、茹で上がって死んでしまうというのです。

今の日本は、この茹でガエルにそっくりではないでしょうか。

インターネットとデジタルの力で一気に変貌していく世界にしっかりと身をおくこと。そして多様な人々、多様な社会との出会いを通して、日本がどういう価値を世界に提供するのか、なにを日本のアイデンティティとしていくのか、あらためてそれを考え、実行していくことが、求められています。

そのキーワードこそ、多様性です。

今、企業の時価総額ランキングで世界上位を独占するＧＡＦＡＭ（ガーファム、Google、

Amazon、Facebook、Apple、Microsoft の頭文字を取ったもの）の勢いはどなたでも知っていると思います。

２０２０年の時点で、ＧＡＦＡＭの時価総額の合計は５６０兆円に達し、日本の東証第1部上場企業約２１７０社の合計を上回りました（２０２０年4月末時点）。わずか5社が、日本の経済の中枢を担う２０００社を超える会社を全部足しても追いつかない市場価値をもっているのです。そして、ここが肝心なところですが、ＧＡＦＡＭはすべてアメリカの企業です。移民国家であり最も多様性を尊重するアメリカで生まれ、躍進したのです。

これは決して偶然ではありません。彼らが保持している多様性こそ、第４次産業革命の時代といわれる現代の創造の原点だからです。

コロナ禍が見せてくれた日本の今

しかし、日本は多様性を苦手とする国です。

多様であることは好きではない。落ちつかないのです。「以心伝心」「阿吽の呼吸」といった言葉にもあるように、均質で、皆同じであることを求め、和を乱すことをなにより嫌う社会です。日本に生まれ、ずっと日本で暮らしているほとんどの人には感じにくいかもしれません。私はたまたまブラジルで生まれ、アメリカで学び、さらに国際結婚をし、その後もずっとグローバルな世界でビジネスを担っています。日本を外から見る機会が多くあります。だから日本がアメリカのように多様性を最大の価値とし、創造の源だと考える国の対極にあることがよく分かるのです。

「鈴木さん、議論はこのくらいにしよう。日本は聖徳太子以来、〝和を以て貴しとなす〟でやってきたんだ」――日本企業との合弁会社の役員会で、何度このセリフを聞かされたことでしょうか。実際日本は、良くも悪くも和の国であり、横並びの国です。例外を認めず、例外を受け入れようとしない。集団を守ることに熱心で、そこからはみ出すものには冷淡です。

実際このコロナ禍でも、私はこんな経験をしました。

日本でワクチン接種が受けられなかったのです。「住民票をもたない人は接種の対象外です」と言われてしまいました（2021年3月時点）。

先にご紹介したように私は基本的には香港に滞在して業務にあたっています。日本には、年に数回訪れるという程度ですから、今、住民票は抜いています。

しかし、コロナ禍で東京―香港間の往来が不自由になり、日本に入国したまま3カ月程度を過ごすケースも出てきました。それならワクチン接種を申し込もうと思ったのです。高齢者ですから、感染への不安もありました。ところが断られてしまった。住民票を除票しているからです。

しかし、長期の海外勤務などで住民票を抜いている人はいくらでもいます。やむを得ずホームレスという境遇にある人にも住民票はありません。

平時なら、住民票をもたない人間に対する行政サービスが制限されることもあるでしょうが、今はパンデミックという非常時です。一刻も早く感染を止め、安全な社会に戻すことが急務です。そうであるなら住民票にこだわるべきではないと思います。

実際、私が知った限りでも、アメリカ、カナダ、メキシコ、ドイツ、フランス、アラブ首長国連邦やイスラエルなど、少なくない国が、外国人の滞在者にもワクチン接種を行っています。

住民票がなくても、そこで一緒に暮らしている人間にワクチンが必要であるなら打つべきです。私は日本国籍もあり、国内に住まいもあります。少し調べればすぐに分かることです。

もしこの理屈が通るなら、たとえ火事になっても、住民票のない人間の家には消防車は出さないということになります。

もちろん貴重なワクチンで、国が考える優先順位はあるはずです。しかし、住民票の有無で門前払いすることはあってはならないと思うのです。コロナウイルスは住民票の有無で襲いかかる相手を選ぶわけではありません。

新型コロナ感染防止対策の切り札として実施された飲食店に対する酒類の提供自粛要請という措置も、私には疑問でした。この措置は、その後、人数や時間の制限を付ける形で一部緩和されましたが、「とにかく酒はダメ」という認識が基本になっています。

しかし、感染対策の要諦は酒にあるのではなく、感染を引き起こす飛沫です。フレンチやイタリアンの落ちついたレストランで、静かにワインを飲みながら食事をしたり、バーのカウンターで一人静かにお酒を飲んだりするなら、酒を提供しても問題はないはずです。そうではなく、居酒屋に大勢で集まり、ビールのジョッキ片手に大声を出して盛り上がるような飲み会は、飛沫感染のリスクが非常に高くなります。この場合は酒類の提供自粛が効果を発揮するはずです。

しかし、とにかく酒はだめという単純なルールですべてを縛ったのが日本の対策です。その結果、多くのレストランやバーが廃業を余儀なくされました。私の知り合いの店も閉店せざるを得なくなりました。

お店にとっては営業を継続できるかどうか、食べていけるかどうかという死活問題なのです。金銭的な休業補償が十分にできないなら、なんとか営業できるように細かく、科学的なデータも使って、一緒に方策を考えるのが行政の役割だと私は考えます。

一度ルールをつくると、それが変えられない

ではなぜこういう杓子定規な対応が行われるのか、それは、ルールを柔軟に適用して「例外」を認めることを避けようとするからだと思います。単純なルールをひとつ決めて、あとはそれをひたすら適用していればいい、という状態にします。なぜならそれがいちばん簡単に管理できる方法だからです。「こういう場合はどうするか?」ということを、いちいち考える必要がありません。

状況に応じてルールを柔軟に適用したり、時には非常時の例外としてルールを破ったりすることは責任が伴うことです。「ルールと違う」と指摘されたときに、「こういう理由があるからいいんだ」と説明ができなければなりません。それを避けているから、日本には例外を前にして考え抜き、主体的に判断することのできる人がいません。あるいは非常に少ないのです。

人の考えも生き方も多様であって、一律には縛れません。例外はいつでも生まれます。そう考えれば、例外にどう対応し、公平性を保ちながら社会をどう運営していくのかを考え抜くことが必要になり、一人ひとりが主体性をもち、判断しなければなりません。

しかし、和を最大の価値としてしまえば、そもそも例外はあってはならないものとなり、個々の判断などは不要になります。考えなくていい社会になってしまうのです。

私は１９９５年の阪神・淡路大震災時の「スイスの災害救助犬」の話を思い出します。この震災からはもう四半世紀の時が経ちますから、知らないという方もいるかもしれません。

1月17日未明の阪神・淡路大震災の発生を知ったスイス、フランス、イギリス各国のレスキューチームはすぐに救助犬派遣の体制を取りました。

最も早く到着したのがスイスチームです。ところが空港での動物検疫の手続きに時間がかかり、結局、12頭の救助犬が現場に入ったのは発災３日後。そのため、遺体は発見できたものの生存者を見つけることはできませんでした。

スイスに次いでフランス災害救助特別隊やイギリス国際救助隊も到着しましたが、やはり動物検疫に時間を要し、合わせて約200頭の救助犬のうち実際に日本に入国できたのはわずか1割、しかも現地での活動開始は1月21日以降と、大幅に遅れてしまったのです。遅れの理由はやはり、動物検疫の手続きをルールどおりに行ったことによります。

今まさに被災者ががれきの下で救助を待っているにもかかわらず、ルールを楯に、一刻を争って駆け付けた災害救助犬チームを足止めする――。「俺が責任をもつ。すぐ現地に送り出せ」と指示する行政官や政治家はいなかったのでしょうか。

確かにルールを守ったのだといえば、遅れの責めを負うことはないかもしれません。悪いのはルールだということで済みます。しかしそれは自分を守るためでしかありません。ルールは人の利益のためにあるのです。しかし、日本ではルールが無条件で人の上に君臨し、人の思考を停止させてしまっています。人を免罪し、気楽にするためにルールがあるのではないと思います。

ルールとその例外という意味で、やはりコロナ禍に関連して、印象的な出来事がありました。

ある日突然、私の日本の住まいに、アメリカ合衆国政府から小切手が送られてきたのです。額面は５０００ドルでした。

大金です。なにかの間違いではないかと領事館に問い合わせると、コロナ禍で生活が大変ではないか、過去にグリーンカードなどでアメリカに滞在した人にすべて送っている、一人ひとりの事情を調査していると時間がかかり支給が遅れるので、とにかく送った。いらなければ返してくれ——というのです。

これこそ、目的のためにルールや慣例に縛られず断行した施策といえます。こういうことができるところにアメリカの底力を感じます。

私はワクチン接種が日本で受けられなかったから、あるいは知り合いのレストランが廃業を余儀なくされたから文句を言っているのではありません。

例外を認めず主体的に判断しない、あるいは、思考停止してルールを至上とする社会であるところに、現在の日本の低迷の一因があると思うのです。

私は、今の日本の課題は多様性の獲得だと考えています。多様な存在というのは、自分から見れば例外ということです。気のおけない同質社会の外にあるものが多様性です。違いのなかでこそ次へのエネルギーが醸成されます。そのためにも、例外をいやがり、思考停止してルールにしがみつくことを止めなければいけないと思うのです。

今日本は限りなく、日本人による、日本人のための、日本人だけの国になりつつあるように思えてなりません。このままでは、ますます世界から取り残され、いつの間にか茹で上がってしまいます。もっと世界に目を開き、違いを直視するところからコミュニケーションを始め、学んでいかなければならないと思います。

第2章

社会構造、偏見、教育制度……グローバル化を阻む日本特有の問題点

教育現場も同質であることを奨励している

多様性を受け入れることに躊躇する日本社会の特性は、日本の教育のなかでも形づくられています。

アメリカの教育は多様性にこそ価値があり、それを誇りとすることを教えるものですが、日本の教育は均質であることに価値があり、言葉にしなくても心で察しあえる人間関係を良しとします。

アメリカは違うからこそ興味が湧き、そこからコミュニケーションが始まるのですが、日本は、違いを見つけたとたんにコミュニケーションが止まります。これは見事に対照的です。

多様であることこそ善であり、その出会いのために、人をあらかじめ差別してはならない――これがアメリカの原則なのです。

もちろん、多様性先進国のアメリカでも、人種差別や民族差別をはじめとする差別感情は存在します。多かれ少なかれ人間なら誰しももつものだと思います。しかし、それは国是に反し、アメリカという国の活力を削ぐものだという自覚をもつ人が多数います。異質なものを差別すれば、そこで関係は閉ざされ、お互いになにも学べなくなってしまいます。このような考えのもと、差別的な言動に対するアメリカの人々の自浄能力は非常に高くなっているのです。

私の妻はアフロアメリカンですから、私たちの子どもも一目で黒人と分かる風貌です。日本にあるインターナショナルスクールに通っていましたが、あるとき彼に、差別的な言葉が投げつけられました。すると教師は直ちに発言の主を呼び、さらに両親を呼びつけ、実に数時間にわたって説教しました。

他方、差別は許さないという強い意識のもうひとつの面ですが、多様な民族文化や風習に触れ、学ぶということについては非常に熱心です。

学校では毎月のように、それぞれが自国の食べ物を持ち寄って紹介したり、民族舞踊を紹介したりするイベントを開いていました。子どもたちの国籍は70カ国にも上っていたので実にバラエティ豊かで、子どもたちも楽しみにしていました。

さらにすごいと思ったのは、生徒には授業で自国の言葉を必ず選択させるのです、自国の文化を忘れてはいけない、という強い意志を感じました。そのために生徒たちの母国語を話す教師を完全に網羅していました。そのための学校側の負担は大きかったに違いないと思います。しかし、自国の言葉を学ぶ環境は確保する、それがあってこそ異文化や異質なものとの交流が豊かになるという学校側の思いは明確でした。

日本の教育はこうしたものとは違います。

もちろん、人を差別しろ、異質なモノは排除しろと教えるわけではありません。しかし、集団からはみ出すものは歓迎せず、集団として結束することがなによりも大切だと教えられてきています。

日本の教育は、異なることではなく〝みんな一緒〟であることを求め、そこに価値を見いだすのです。運動会の徒競走で順位を付けないとか、試験の成績による順位を公表しないといったことが行われています。

能力が高くても、飛び級のようなことは認めません。

確かに日本の教育制度にも、高等学校卒業程度認定試験（旧大検）という高校卒業と同等の学力を有することを証明してくれる試験があります。これに合格すると高校に3年通って卒業証書をもらっていなくても大学受験ができますが、文部科学省は、この効力の発生を満18歳の誕生日以降と決めています。結局、どんなに賢い子どもでも高校3年生と同じ年齢でなければ大学受験ができないのです。せっかく認定試験を設けながら、やはり大学入学は18歳になってからと間口を狭めています。なぜ年齢でそろえなければならないのでしょうか。そこに大きな意味があるとは思えません。

2013年に、海外ではこんなニュースが報じられました。

モンゴルの15歳の少年がインターネットでアメリカのマサチューセッツ工科大学(MIT)が配信した「電子回路」の講座を受講し、修了後に実施された試験で満点を取ったというのです。全受講生15万人のなかで同じように満点を取ったのは、わずか340人で、もちろん彼は最年少でした。少年は、高校卒業後はアメリカの大学に進学したいという希望をもっていたものの、父親は工場で働く一般の勤労者で、経済的にとても無理だろうと考えていたそうです。しかしＭＩＴは強く受験を勧め、学費免除で彼を招きました。

日本で、例えば東京大学が公開の講義と試験を行い、海外の15歳の少年が満点を取ったら、すぐに東大に入学しなさい、学費はいらないと声を掛けるでしょうか？　決してしないと思います。「まだ15歳だ」とか「公平性を欠く」とか、いろいろな理由がもち出されることが予想されます。

実際、最近の日本でこんなことがありました。

中学校２年生の時から英文で数学の専門書を読みこなし、日本人数学者の書いた本の中の誤りを指摘したこともある中学生が、３年生の時に専門誌に論文７本を投稿したのです。しかし、年齢が低いという理由で取り上げてもらえませんでした。このままでは発表の場所もないと考えた中学生は、通信制の高校在学中からアメリカの大学院を目指し、希望していたカリフォルニア工科大学の大学院に飛び級合格したのです（２０２１年６月28日付朝日新聞掲載）。

日本の教育制度のなかでは、高校から大学院に進むといったことは決して容認されません。そもそも日本では、小中高でなにを教えるか、国が検定した教科書で内容が決められていま す。そしてどのように教えるかということまで「学習指導要領」で決められているのです。

それなら教員免許はなんのためにあるのかと思います。ここまで手足を縛られたら、本当に生徒の学びの意欲を引き出すような教育を、教員一人ひとりが創意工夫する余地などなくなってしまいます。

それはたとえていえば、調理師免許を与えながら、全員に一律のレシピを強要しているようなものです。料理家としての創意工夫はどこにも発揮できないことになります。

日本の教育のなかには、子どもの個性を伸ばしたり、異能を育てたりするというマインドがないのです。教育はひたすら〝異質〟を排除し、〝同質〟であることを求めるものになっています。だから教育現場には、大学をランク付けした偏差値しかありません。偏差値では見えてこない能力は評価の対象外です。

こうした教育の現場から、個性的なもの、多様なものを尊重したり、自らの関心に沿って独自の道を歩もうとしたりする精神が養われるとは思えません。

学びたい人すべてを受け入れる教育体制をつくる

私はシカゴ大学の大学院を修了しましたが、アメリカの教育システムに学ぶものは多いと思います。

そもそもアメリカの大学は、公立、私立とも非常に種類が多く、選抜のルールもさまざまです。日本のように一律の試験で選抜するということはありません。

むしろ、ひとつの物差しだけで選ぶということを避けようとします。入学してきた学生の多様性が失われることをマイナスと考えるからです。ここでも、偏差値を使って似たような成績の学生を集め、効率よく教育しようという日本の大学とは大きな違いがあります。

とにかくアメリカの大学はいろいろな条件で入学を認めるので、非常に入りやすいのが特徴です。また、セメスター制（2学期制）、クォーター制（4学期制）といった制度もあるので、入学時期も比較的自由です。日本のように、ほとんどの大学で4月1日を待たなければならないということはありません。

しかも学費を援助する仕組みもいろいろあります。ですから、子育てを終えて手が空いた女性や、いったん軍隊に進んだが学び直したいと考えている人、なかには失業して時間ができたからと大学に入る人もいます。

日本でよく耳にする話に、アメリカの大学は日本の中学生や高校生が学ぶ程度のものを教えているという指摘がありますが、これは軍隊などに進んで高校卒業後一定のブランクがある人でもスムーズに大学の勉強に入っていけるようにするための配慮です。単位取得のための授業とは別に、こうしたキャッチアップのための授業も設けられているのです。

つまり、希望するできるだけ多くの人に、教育を受ける機会を与えようとしているわけです。それは納税者に対する国の義務なのです。私立はともかく、公立大学・州立大学であれば、それは当然のことです。

話が少し飛躍しますが、自動車運転免許の試験をアメリカで受けた時にさすがだなと思ったことがあります。それは、非常に多くの言語で受験できるようになっていたからです。州によって多少の違いはありますが、日本語をはじめ10カ国語くらいのなかから得意の言語を選んで受験できるようになっています（日本では最近ようやく英語や中国語などで学科試験の受験が可能になったところです）。

この試験は、落とすためではなく、アメリカ社会で車を使って生きていきやすいように、つまり免許を取らせるためにある試験なのです。だからできるだけ取りやすいように配慮しています。その人の能力に応じて適切な環境を用意し、一緒に市民生活を送っていこうという意志が、こういうところにも貫かれているのです。

ワイドでオープンマインドな受け入れ体制を取っているアメリカの大学では、入学後に専攻を変えることも容易です。面白味を感じない学問を続けるのは、苦痛以外の何ものでもありません。私の知る範囲でも、転科して大きな成果を残した学生はたくさんいます。また、大学を退学していく学生は少なくありません。彼らは自分の学力と現在の大学のレベルが合わないと感じ、ほかの大学や、実社会で必要となる実践教育を行うコミュニティカレッジと呼ばれる2年制の公立大学に移っていくのです。

おそらく大学1年から2年に進むのは、入学した学生の半分くらいです。シカゴ大学の場合、1年生として800人くらい入って最終的に卒業するのは200人程度です。それではは学生が減ってしまうのではないかと思うかもしれませんが、そんなことはありません。逆に途中から、シカゴ大学に入ってくる学生もいるからです。

要するに、学生の新陳代謝が盛んなのです。それは誰にも自分の学力と関心に合わせて、学びたいものが学べる環境が用意されているからです。

日本の教育は、ひたすらひとつの型にはめた同質の集団をつくろうとし、アメリカの教育は、それぞれに異質な能力を見つけ出し、それを伸ばそうとしています。だから、日本の大学は入りにくいけれども、入ってしまえばバイトとサークル活動ばかりでたいして勉強していなくても、要領が良ければ卒業できます。アメリカの大学は、入りやすく、興味や関心に応じて専攻も変えやすいけれども、しっかり勉強しなければ卒業することは難しいのです。

実際、日本ではいったん入ったら学生は卒業までほとんど動かず、OBも含めてひとつの〝家族〟のように集まってしまいます。

私の妻は、日本の大学院で客員教授などをしていました。ある大学でのことです。それまではアメリカの大学から妙な黒人の先生が来たと遠巻きにしてきたような教授が、たまたま同じアメリカの大学で学んでいたと分かった瞬間急になれなれしくなって、コーヒーはどうですかと買ってきてくれたりしたそうです。妻はその豹変ぶりに驚いていました。同窓ということから急に〝身内〟意識が兆してくるわけです。学びの場にどうしてそんな仲間意識が必要なのか、疑問を感じます。

ただ最近になって私は「ぐんま国際アカデミー」という小中高の一貫教育を行うユニークな学校があることを知りました。

群馬県の太田市に外国語教育特区構想に基づき設立された学校で、２００５年から順次開校、２０１２年には小中高がそろい12年一貫教育を行っています。

この学校が掲げる理念は「日々変化を遂げる国際社会の中でリーダーとして必要な能力と知識を備えた国際人の育成に努める」というもの。特色はなんといっても、算数・理科・社会・芸術などの、教科の70％を、日本人教員と外国人教員が英語で教えるところにあります。特に英語教育に力を入れているからではありません。英語で学ぶことで知識や概念を習得することが狙いなのです。

それを通して「日本人としての意識（アイデンティティー）の確立や世界の多様な異文化を理解することにも力を注ぎ、世界のあらゆる分野で活躍できる人材の育成を目指す」としています。

すばらしい試みだと思いました。私が知らなかったのはうかつですが、もっと評価されるべき試みではないでしょうか。多様性を養うために、教育は決定的に重要です。「ぐんま国際アカデミー」がもっと注目されるようになってほしいと思います。

日本は違うことを恐れ、アメリカは違うことを楽しみます。

日本の教育はもっと多様な人々をキャンパスに招き入れ、違いを学ぶという場にしていかなければなりません。学生も同じものにではなく、違うものにこそ価値を見いだしてほしい――それが自分の発見につながり、成長の糧になるに違いないからです。

日本での合弁会社経営で学ぶ

日本の教育現場では、家族のような関係がつくられる、と書きました。

教師と学生は「親子」のようなものであり、学生間の先輩、後輩の関係は「兄弟」のようなもので、それが全体として大きな家をつくっています。

これは日本の会社組織でも同じです。あらゆる日本の組織は、目的のために役割を分担した機動的なチームではなくて、絆を第一にした家族的な集まりなのです。

そのことを身を以て知ったのは、日本で合弁会社の事業をスタートさせた時でした。

私はシカゴ大学の大学院で数理統計を修了して研究生活を送っていた時、ふとしたきっかけからアメリカのダンボール会社に誘われて入社しました。

とりあえず3年の契約で、最初の1年間は研修を受けました。会社に必要なダンボールビジネスの基本を学ぶだけでなく、ＩＢＭやメリルリンチのインターンシップへの参加、ハーバードのビジネススクールの受講、アメリカ国防総省で軍事行動におけるロジスティック戦略について学ぶといった講座もありました。勉強の一環で、イギリスやヨーロッパ、イスラエルにも渡りました。この1年間は、数学の研究室とは別の意味で面白かったのですが、その研修が終わる頃、会社から指示がありました。

日本に行って合弁会社をつくり、事業を始めてくれと指示されたのです。「費用として20万ドル渡す。新会社は2年以内に設立してくれ」という話でした。

驚きました。まさかこういう展開になるとは夢にも思っていませんでした。日本に行くとなれば、高校を出て以来、約10年ぶりということになります。

会社の事業は、従来の木箱による梱包を3層になった特殊な重量物用のダンボールに置き換え、物流コストを大幅に削減し、輸出企業の利益向上や資源の節約・環境保全を実現するというものです。

1960年代から輸出産業を中心に驚異的な高度成長を続ける日本は、1969年には国民総生産（GNP）で、西ドイツを抜きアメリカに次ぐ世界第2位に躍りでます。国内産業の生産力の増強とともに、輸出も急速に拡大していました。つまり会社にとって、日本は極めて重要なマーケットだったのです。

妻は仕事が軌道に乗るまでアメリカにいてもらうことにして、私は20万ドルを手に、日本に向かいました。これが私の半世紀にわたるビジネスマンとしての歩みのスタートであり、ビジネスでなにを学び、人間としていかに成長していくか、その試行錯誤のスタートでもありました。

「士農工商乞食ダンボール」!? 通産省のお役人が発した驚くべき言葉

20万ドルは、今なら2000万円余りになります。しかし当時は、1ドル360円の固定相場制の廃止直後という時期で、6000万円を超える価値がありました。しかも当時の大卒初任給は4万6000円ほどです。つまり、大卒初任給の約1300カ月分に相当します。大変な金額を、まだ20代で入社2年目、なんの実績もない若造に預ける――アメリカビジネス界の底力を感じました。

それにしても日本にはなんのツテもありません。まず本社の取引先である銀行経由で日本の銀行を紹介してもらい、そこを経由して大手のダンボール会社を教えてもらいました。しかし会ってみると「うちは軽量ダンボール専業が大方針だから、重量物ダンボールには関心がない」という返事です。

次に当たったのが福岡に本社をおく製紙会社でした。こちらは私の親戚筋に現社長の知り合いだという人がいることが分かり、社長も乗り気でした。わざわざ福岡から東京に出て来てくれ「面白そうですね。やりましょう」と話はスムーズに運びました。

間もなく、出資比率50対50の合弁会社を設立することができました。

ただし、実際に事業を始めるためには契約文書を、通産省（現：経済産業省）、大蔵省（現：財務省）、日本銀行、公正取引委員会の4カ所に持って行って審査を受けなければなりませんでした。外資系企業に対する出資規制など、当時のルールはすべて守っていましたから、国が営業活動の開始を止めることはできません。

ところが、ここが日本の官僚組織の巧妙なところですが、不許可にはできない代わりに、まだ審査中であると、いわば棚ざらしにすることで事実上、事業に着手させせないということができるのです。

なかでも強硬だったのが通産省です。

「鈴木さんはシカゴ大学大学院数理統計学修了ですか。立派な学歴ですね。それでなんでダンボール事業なんですか？　あなたはアメリカ暮らしが長いから知らないのだろうが、日本ではね〝士農工商乞食ダンボール〟というんです。乞食といったら差別用語ですからおおっぴらには言えないが、ダンボールなんて乞食以下の商売です。なぜ乞食以下かというとね、乞食は自分のことは自分でなんとかしているんです。しかしダンボール屋は、やれ税金をなんとかしてくれとか、もっと優遇してくれとか、うるさく陳情にくる。しかも今、雨後の筍のようにダンボール会社ができて、お互いに食い合ってみんな赤字で困っている状態です。役所としては、業種転換を指導しているところなんです。そこに新会社をつくってしまったら、しめしがつかんでしょう？　まあ、事業許可までには時間がかかると思ってください」というわけです。

私は2つのことに驚きました。

一つは、ダンボールを扱う事業への偏見です。

日本では昔から、製紙用の紙とダンボール用の紙を区別して、前者を「カミ」、後者を「ガミ」と呼んでいるらしい。「ゴミ」とひっかけてわざわざ濁点を付けているわけです。こういう差別になんの意味があるのか？　多様性からはおよそ遠い世界がここにもありました。

もう一つは官のおごりです。戦後の経済成長を主導してきたのは自分たちだという自信があるのでしょう。こんな官僚と付き合わざるを得ず、これは前途多難だと思いました。しかし、合弁契約を交わした1カ月後の1973年10月、第4次中東戦争が勃発します。原油の需給は一気に逼迫して価格は高騰、トイレットペーパーの買い占め騒ぎが起こるなど、経済への影響のみならず社会的な混乱が引き起こされました。いわゆる第1次オイルショックです。

企業は一斉に省エネへと舵を切りました。

私はあの居丈高な官僚を説得する絶好のチャンスだと思いました。ダンボールによる梱包は、従来の木箱に比べて、木材の消費量はもちろん、運搬物の重量や体積も大幅に減らすので、省エネ効果が非常に高いのです。

そこで私は、輸出品の梱包を、従来の木箱から重量物ダンボールに置き換えると、実際に輸送コストがどれくらい下げられ、木材の消費がどれほど抑えられるかということを、克明に明らかにしました。

仮にその10％をダンボールに置き換えると、どれくらいの省エネ効果が出るか、つまり当社の事業がいかに日本の省エネに貢献できるかということを数字で細かく弾き出して、通産省をはじめとする関係当局にあらためて届け出たのです。

予想したとおりです。すぐに通産省から来いと呼び出しがかかって、「事業許可を出しましょう」と言ってきました。

昔も今も、日本の常識は世界に通用しない

オイルショックという追い風が吹いて、合弁会社の事業環境は整ったかに見えました。

しかし、私はナイーブだったといえるかもしれません。

私は、ご紹介したようにブラジルで生まれ、小中高校時代こそ日本で過ごしましたが、その後はアメリカで長く暮らし、ビジネスに関することがらもすべてアメリカで学びました。

日本という国のことは、特に実社会やビジネスのこと、日本独特の人間関係の機微などは、まったくといっていいほど分からないのです。しかも合弁相手は、規模こそ小さいものの、戦前の財閥系企業の流れを汲む老舗であり、伝統を誇る典型的な日本企業でした。合弁会社はスタートからさまざまな場面で私と日本側が対立することになりました。

これからご紹介する合弁会社でのさまざまな出来事は、なにも私が昔を懐かしみたいから述べるのではありません。この時に直面した問題は、2021年の今もなお日本企業や組織、社会の足を縛り、真のグローバル化を阻み続ける障壁となっているのです。今の若い人たちにも、リアルタイムの問題として、大いに思い当たる節があると思います。日本で常識だと思われていることは、決して世界のグローバルスタンダードではありません。多くの人が早くそれに気づいてほしいと思っています。

そもそも会社は誰のもの？ ひとり歩きする「ガバナンス」という言葉

事業推進にあたって、私はさまざまな提案をしました。しかし、それがことごとく反対されるという事態が起こりました。

最初の衝突は、私が役員全員に求めた信用保険への加入です。「君はうちの社長や幹部を疑うのか？　そんな失礼なことはできない」と言うのです。

もちろん保険ですから、加入にあたっては当人の資産状況や健康状態も調べられます。しかし、別に私は、社長や役員の誰それの健康状態を疑っていたのでも、幹部のプライバシーを知りたかったのでもありません。誰であろうと、人間には失敗する可能性があり、〝魔が差す〟ことがあります。

もしも役員個人に莫大な賠償責任が課せられたら、その人は身を隠したり、場合によっては首をくってしまうかもしれません。経営にとっても大きなリスクです。それを避けるために経営陣が信用保険に入るのはアメリカでは常識でした。それは株主に対して責任を果たすことでもあるのです。

経理の責任者として社外から税理士を雇い入れようとしたときも、役員会の反対に遭いました。

しかし、社内の人間であったら、上の顔を見て言うべきことを言わない、あるいはどこかで甘くなるという可能性があります。その点、外部のプロは、資格者としての矜持にかけて言うべきことは言うはずです。法務や知財管理についても同様です。きちんとガバナンスを効かせるためには外部の資格者を雇うべきなのです。

私が個人的に銀行からお金を借りようとした時には、こんなことがありました。

私は会社の取引先である銀行を避け、かつ役員会にこのことを報告しました。すると、そんなことはいちいち報告しなくていい、と言うのです。

しかし、融資の申し込みを受けた銀行は、顧客が取引先の役員だと知れば金利を下げるといった便宜を図ろうとするかもしれません。そうすると役員と取引先銀行との関係に私情が入ります。実際アメリカでは、会社と同じ銀行を使って融資を受けようとしたら、必ず取締役会の決議が必要になるのです。

合弁会社のスタートにあたって私が知ったのは、日本の組織はガバナンスが非常に弱い、あるいはないに等しいということでした。

最近は日本でも「ガバナンス」ということばをよく耳にします。内部監査部門が設けられ、内部通報窓口なども設置されたりしています。

ところがそれは、単なる組織体制の整備に留まっています。本当に機能するためには、そもそもなぜガバナンスが必要なのか、という基本が自覚されなければなりません。

経営層は株主から委託されて経営を担っています。全権をもつ支配者ではありません。その基本的な認識がなければ、いくら形を整えてもガバナンスを強化することにはつながりません。その点で、認識が甘いのです。

端的な例が、経営層が財務状況などを報告するときになんの疑問もなく使う「わが社は……」という表現です。

社長や経営陣が会社を自分の所有物であるかのように考えているから、こういう表現をします。全株式を所有しているならそれでもいいでしょうが、そういうことはまずありません。とすれば会社は、経営陣にとって会社は「わが社」つまり「アワカンパニー」ではなく「ユアカンパニー」です。

会社の持ち主は株主だからです。私は今も経営責任者としてまとめる報告書のすべてを「ユアカンパニー」を主語にして書いています。

当時の経営陣はお飾り？ キャッシュフローの見方も知らないとは！

1970年代では、まだ経営層が絶大な権力をもっている反面、彼らに財務についての知識が乏しいということも私を驚かせました。企業経営に何十年も携わってきたはずの彼らが、バランスシートや損益計算書というごく一般的な財務諸表しか見ようとしないのです。

しかし、キャッシュフローを見ない限り、機動的な経営施策は打てません。

ご存じのように、損益計算書の営業利益は、減価償却費を差し引いた数値です。しかし、減価償却費というのは、帳簿上は支出でも実際には出て行っていないお金です。書類上の営業利益と手元のキャッシュの額は一致しないのです。

そこで使われるのが、ＥＢＩＴＤＡ（イービッター）と呼ばれる数字です。

それぞれの頭文字はＥ＝earning（利益）、Ｉ＝interest（金利）、Ｔ＝tax（税）、Ｄ＝depreciation（建物や設備などの有形固定資産の償却費）、Ａ＝amortization（ソフトウェアなどの無形固定資産の償却費）を指します。

つまり、これらの項目を純利益に足し合わせれば「金利と税、有形・無形の固定資産の償却費を差し引く前の利益」が分かるということです。これがＥＢＩＴＤＡで、会社が実際に手元に持っている現実的なキャッシュはここで示されます。

アメリカでもヨーロッパでも、ＥＢＩＴＤＡこそ経営層が注目する経営の基礎になる数値です。それを見なければ、仮にその年、あるいは特定の工場で一時的に設備投資が多くて減価償却が多くなる場合、純粋に事業が稼ぎだすキャッシュフローが本来より少なく見えるという現象が起こり、経営判断を曇らせてしまうのです。

海外では非常識！
中小企業を追い詰める「手形決済」「個人連帯保証」

合弁会社ではビジネスのスタイルについても対立が顕在化しました。

一つが「ＦＯＢ」です。

ＦＯＢとはFree on Boardの略語で「本船渡し契約」を指します。輸出者側が商品を輸入者側の指定する船に積み込んだ時点で、商品の引き渡し義務が完了したとみなすというものです。

私は合弁会社の商品の受け渡しも、ＦＯＢのスタイルを踏襲することにしました。つまり発注者（顧客）の負担で工場までトラックを手配してもらい、そこに積み込んだ時点で納品完了とする、というものです。当然、その先の輸送についても発注先の負担です。しかし「そば屋だって注文したら配達してくれる。配達は当たり前だ」と、反発は非常に強かったのです。

しかし、運送は私たちがコントロールできる世界ではありません。コントロールできない費用までコストに入れてしまったら、利益を増やすために運送費を少し高めにするといった〝小細工〟が出かねないのです。どうしても配達してほしいという会社には、別料金でトラックの手配をしましたから、実際はなんの問題もありません。

実はその後のオイルショックで輸送費は急騰します。運送費を含めていた企業は顧客に値上げを求めることになり、交渉に非常に苦労していましたが、私たちの合弁会社にはそういうことはありませんでした。

もう一つ、合弁会社の事業を始めて驚いたのは手形です。

当初の私たちの顧客は、アメリカでも取引のあったＩＢＭやキャタピラーなどの外資系企業だったので、請求書を出せば30日以内に現金で支払われました。ところが、日本企業を相手にするようになると、「10万円以上の支払いは手形払いと決まっている」といった会社が次々と現れ、日本ではむしろそれが普通なのだと知りました。

手形の振出人は１２０日や１８０日など自由に支払期日を決めることができます。その間支払いが猶予されるので、支払い側の資金繰りは楽になりますが、受取人はたまったものではありません。資金の回収が遅れ、その間食いつないでいかなければならないのです。しかも、手形を期日よりも前に現金化しようとすると、手数料を徴収され、額面を割り込んでしまいます。

この約束手形という日本独特の決済方法は、今も堂々と継続されています。終戦直後の混乱期なら、企業を守る過渡的な措置として許されたかもしれません。しかし、戦後70年以上経った今も続けられているのです。

ようやく廃止の声が上がっていますが、それも「5年後の2026年をめどに利用を廃止するよう産業界や金融業界に対応を求める」という極めて甘いものでしかありません。私たちの合弁会社は、手形は受け取らないということを、取引の最初から明確にしました。だからといって契約が取れなかったことも、途中で失ったこともありません。

中小企業に対する冷遇という意味でもう一つ日本に来て驚いたのは、銀行融資についてです。

融資にあたっては、担保を取ったうえに、借り入れた代表者に連帯保証人になることを求めるのです。上場している大企業には求めないのですが、相手が中小企業や個人事業主の場合は、個人保証を求めます。無限責任が課されるわけです。

日本は、いわゆる先進国のなかで自殺者数が多いことで知られます。自殺率（人口10万人あたりの自殺者数）は世界第9位で、G7参加国中でもトップです（OECD、2017年調査）。

自殺の理由で大きな割合を占めるのが、健康問題と並んで「経済・生活」問題なのです。生活苦や経営の失敗、多重債務などが理由として挙げられています。この経済・生活問題による自殺者数の増減が、景気動向指数と負の相関があることも明らかにされています。つまり、景気が落ち込めば自殺者が増えています。この背景こそ、「手形決済」であり、「個人保証」です。

もともと株式会社というのは、責任を投資の範囲に制限する（limited）ところから誕生しました。だからこそ思い切った事業への投資も可能なのです。ダメだったら投資した分だけ諦めればいいからです。

ところが日本は、企業の大半を占める中小企業や個人事業主への融資に個人保証を求めるということを続け、失敗したら最後まで追いかけていくのです。

「平社員が飛行機で来るとは、生意気だ！」大事なのは効率ではなく序列

営業の進め方や社員の働き方についてもさまざまな対立がありました。

私は、営業スタッフについては「直行・直帰」を原則とし、1人1台の車を与えることにしました。これが大反対に遭いました。「朝集まり、各自がどこに行ってなにをするのか互いに確認する。終業時はもう一度集まって営業報告をして、それから家に帰る」と言うのです。

しかし、満員の通勤電車に乗って毎朝集まったり、営業先から疲れた体で会社に戻ったりする必要があるとは私には思えませんでした。営業先に直行し、そこで仕事を始めたときが始業であり、客先で仕事を終えたときが終業です。報告や打ち合わせのために出社す

るのは、週に一度か二度でもかまいません。

「車を与えると、私用に使うかもしれない」とも言われました。それも、朝夕に顔を合わせようというのと同様に、社員を子ども扱いするものです。営業スタッフの管理は業績を見れば可能です。目標を共有し、そのためにそれぞれが解決すべき課題さえ明確になっていれば、あとは任せればいいのです。

私は、行動の自由度や裁量の範囲が大きければ大きいほど、人は自分の頭で考え、行動し、成長していくと思っています。自由であればあるほど成長の余地は大きいのです。

業務の管理面では、ほかにもなぜこんなことに大きなエネルギーを投じるのだろうと感じたことがありました。

例えば出張時の交通機関やホテルの使い方です。

合弁会社の本拠地は東京に構えましたが、時には福岡に出張することも必要でした。あるとき、東京からスタッフを派遣したのですが、しょんぼりした様子で帰ってきました。事情を聞くと、「平社員のくせに飛行機で来るとは生意気だ。飛行機に乗っていいのは役員クラスだけだ」と合弁相手の会社の担当者に怒られたというのです。

しかし当時はまだ、新幹線で九州まで行くことはできませんでした。福岡への移動は優に10時間以上かかります。新幹線が博多まで開通したあとも、新幹線だけで約7時間も乗らなければなりません。飛行機でさっさと行って、仕事をしたほうがずっと合理的です。必要があるから出張するのであって、平社員か役員かなどは関係ないはずです。

出張先で宿泊する場合のホテルのランクも、役職によって差がありました。

それだけではありません。オフィスの机やイスのグレードまで役職に応じて区別されています。平社員から上に行くに従って、机もイスも少しずつ上等なものに変わるのです。

そして、こうした細かいランク分けと、それがちゃんと守られているかどうかについて、管理部門が膨大なエネルギーを使ってチェックしています。

なんでこんなことに貴重な時間を使うのかと思いました。しかし、こういうランク付けは、今も多くの企業で堂々と採用されていて、特に文句を言う人もいないようです。

私は出張規程を一律にして簡素化し、飛行機の利用については出張者個人の判断に任せました。各自が合理的な理由を考え、判断しなければなりませんが、しかしそのことは、自分の任務やその価値を客観的に見つめ、判断するという訓練につながっていると思います。

「身内かよそ者か」がいちばん重要 とりあえず、なんでもタグ付け！

合弁先の日本企業との対立を通して私が感じたのは、日本の会社組織が非常に特異だということでした。それは、事業目的を達成するための機能的な集団ではなくて、まるで大きな家族なのです。

家長の下に子どもたちが肩を寄せ、縦の強い絆で結ばれています。すでに現役を終えた年配の役員あるいは幹部が、名誉会長だ、特別顧問だ、相談役だといって会社に残りたがるのも、そこに居心地の良い家族的なつながりがあるからでしょう。和を保つためには、あらゆる場面で序列を意識させることも必要です。

家族が身内を大事にして外は壁で隔てようとするのは必然の成り行きです。対立はできるだけ避け、はみ出した行動もとらないようにする。朝に夕に顔を合わせ、仕事中もお互いの気分や顔色を見ながら、和気あいあいとやっていく。会議は名ばかりで、感情的な行き違いを生じさせかねない激しい討論はしません。

森元首相が「女性がいる会議は長い」とうっかり発言したのは、女性蔑視もさることながら、会議は議論をするところではなく、あらかじめ根回しされ、決められていたことがらを形のうえで追認するだけだという〝常識〟を示したものでもあります。だから会議は短いほうがいいわけです。

日本の組織に存在する強い家族的な絆は、いったん身内になれば居心地が良いけれど、弾き飛ばされれば居場所がないという状況を生みます。

あいつは山の手、あいつは川向こうなどと〝タグ〟を付けて区別し、遠ざけます。〝よそ者〟をつくることは、身内の結束を図るという効果もあるからです。

私自身も、ブラジルから日本に帰った当初の小学校では〝ブタジル〟とからかわれ、合弁会社時代は〝アメリカ帰り〟というレッテルを貼られました。こうしたものに別に内容はないのです。ただ身内ではないと区別するためのものでしかありません。「外国企業」や「外国人」と一括りにして壁をつくる、それも〝身内でないもの〟に対する態度です。

結局、良し悪しの判断基準は「金があるか、ないか」だけ

教育の現場や会社組織が大きな家族として存在し、身内で固まり、よそ者を排除する――そうすることで居心地の良い同質の集団をつくるのは、当然の成り行きとして、社会の全体を「異質を嫌うもの」にしてしまいます。

身近な例でいえば、アフロアメリカンである私の妻の在留許可を巡っても、日本の社会が「外国人」をどう扱うのかを示すものでした。

合弁会社の事業がある程度軌道に乗るまではアメリカにいてもらおうと考えていたので、彼女を呼び寄せたのは私が日本に来て3年目となる1975年のことでした。

そこで日本の法務省に妻の滞在ビザ申請に関する書類を出すことになったのですが、この書類が想像を絶するものでした。

私の収入、住んでいるのはアパートか持ち家か、どんな家具や設備があるのか、テレビや冷蔵庫、洗濯機があるか、全部書きだせというのです。さらに、毎月給与はいくらでどのように使っているかまで書けといいます。

法務省は、「この男は外国人の妻を呼んでも十分に養っていけるのか」を判断しようとしているわけです。もしそこに不安があれば、妻へのビザは発給してくれません。

さらに誓約書も書かされました。妻が法律に違反したり生活ができなくなったりしたときは、日本政府ではなく私が自らの責任で国外に退去させる——というものです。

他方、アメリカにいる妻にも、仕事はしているかとか預金残高はいくらあるかといった細々とした問い合わせが日本領事館経由で行われました。

一連の煩雑なやりとりに妻は怒って「私は違う形で日本に行くからビザはいらない！」と言ってきました。

海外では、仮に国籍が異なっていても、結婚している二人の権限は非常に強いのが常識です。夫のところに妻が来ることに、なんの権利があって政府が口を挟むのでしょうか？ところが日本では、外国人が来るというだけで〝警戒モード〟になり、しかも、金があるかないか、金の面で国のお荷物にならないかということだけを見ているようです。金がないなら出て行ってくれ、となるのです。

妻は1976年に来日し、そのまま亡くなるまで30年以上日本に滞在しましたが、結局、外国人登録というものは一度もしませんでした。SOFA（Japan Status Of Forces Agreement）と呼ばれるアメリカの国防省管轄のステータスで入国し、滞在しました。

再び、一人で始める決断をした

違うものをどんどん取り込み、それをインクルージョンしていく――そのために、日本はもっとダイバースな国にならなければいけないと思います。多様性のない社会に、発展はないからです。しかし、日本の社会は、ダイバーシティのお題目はあっても、教育の現場も会社組織も、そして社会も、およそダイバーシティとは遠いのが現状です。悪意ではないのですが、もともと同質であることを執拗に求める社会なのです。

私は1973年に日本に渡り、翌年に合弁会社を設立しました。それ以来、日本独特の商習慣や営業慣行などと格闘しながら、重量物ダンボールのビジネスを進めたのです。私がアメリカで学び、信じていたビジネスのスタイルを貫くのは簡単ではありませんでしたが、20年余りにわたる経営を通して、社員約60人、売上80億円ほどの企業に成長させることができました。

当時の日本には約200万社の企業がありました。事業開始当初、私はその上位1%に入りたいと考え、申告利益額で上位2万社を目指そうと思いました。それは間もなく実現し、次は1万社以内に入ることを目標にして、これも実現できました。その後、最高で3700位くらいまでいきましたが、200万社中の3700位は、よく健闘したといえるのではないかと思っています。

私は合弁会社の事業が軌道に乗り、売上も順調に伸びて数十億円規模となった1980年代の半ば以降、積極的な海外展開を図りたいと考えていました。特に世界から製造業が進出しようとしていた中国には、ぜひ出るべきだと考えていたのです。

中国で組み立てられた製品が、世界各国に輸出される時代が目の前に来ていました。梱包に使うダンボールの需要は、一気に拡大すると思いました。中国こそ挑戦しがいのある市場です。

しかし、合弁相手の会社は、海外事業の展開に積極的ではありませんでした。言葉が分からない、不確定な要素が多過ぎる……いろいろ理由を並べては、海外展開を拒否していました。

それなら一人でもやろうと思ったのは、合弁相手との信頼関係が崩れるという事件があったからです。

詳しい顛末は本題ではないので省きますが、アメリカ側の親会社が所有する合弁会社の50%出資分を、私がMBO（Management Buyout：経営陣による買収）で買い取ることになりました。この時点で、当初の合弁会社は、私個人と当初からの合弁先の日本企業（この企業も国内の同種の企業に買収されて別の会社になっていましたが）との、折半出資による新たな合弁会社となりました。

すると合弁先の日本企業が、私を排除して会社を自分のものにしようといろいろ画策を始めたのです。かつての合弁先と交わしていた覚書も反故にされ、双方が訴えを起こす裁判沙汰になりました。私はいつまでも争いが続くのがいやだったので、裁判所の調停案を受け入れて和解し、商標権はこれまでどおり私が保有し、所有していた株式や商権はすべて相手側に、私がＭＢＯで買い取った原価で売却し、一人で再スタートを切ることにしました。

当時の売上80億円ほどと50社以上の代理店、社員約60人のすべてをなくすことになります。友人は「裸一貫になってしまう」と心配してくれました。しかし、合弁会社を立ち上げる時も私は一人でしたし、業務のノウハウも身につけ、中国という手つかずの大市場が目の前にあるからこそ、そこで挑戦したかったのです。

私は収益面での心配事に悩むより、徹底的にダイバースな環境をつくって、多様な人材がそれぞれの持ち味を発揮し、その結合した力で、世界市場で活躍するという国際企業をつくりたいとも思っていました。合弁会社時代の日本では、思いはあってもできなかったダイバーシティ&インクルージョンを旗印にした会社組織づくりとそれを母体にした事業をぜひ進めてみたいと考えていたのです。

当面する最大の問題は、新会社の設立資金でした。少なくとも30億円から35億円が必要だと思いました。

日本の銀行やベンチャーキャピタルを訪ねましたが、私個人に融資しようというところはありませんでした。担保に入れるものはないし、事業はこれからですから、無理もありません。22年にわたる経営も評価の対象にはなりませんでした。

そこで私は伝手をたどって海外の投資家に連絡を取りました。イギリス、ドイツ、オーストラリア、アメリカなどの知人に連絡し趣旨を説明すると、続々と新会社への投資を申し出てくれました。

日本では1円も集まらなかったのに、海外では、わずか2カ月半で合計75億円もの投資表明を受けたのです。それも融資ではなく、返済の必要のない株式への投資でした。むしろお断りするのに苦労するほどでした。

うれしい誤算は資金調達面以外にもありました。

合弁会社時代の従業員で私のほうに来てくれるのは、よくて4、5人だろうと踏んでいたのです。ところが新会社の旗を揚げると、実に40人もの社員がこちらに来てくれました。当時の社員の、ほぼ3分の2です。

しかも、彼らのうちの何人かは退職金を資本として活用してほしいと申し出てくれたり、進んで給料の減給を願い出てくれたりしました。彼らに対する感謝の気持ちは、一生負っても負い切れるものではありません。こうした人々が今も世の中にいるのだと思うだけで、私は気持ちが奮い立ち、世も捨てたものではないと強く感じました。

新会社は、当初厳しい経営状況が続き、去る方々も数名ありましたが、それでも船出を共にした人々に対する私の感謝の気持ちは、いささかも変わるものではありません。

根っからの学者である妻にとっても、裸一貫の再スタートは不安だったと思います。しかし、「ホームレスになるかもしれないよ」と私が言うと「そのときは日本一のホームレスファミリーになればいい」と力強い言葉で私を勇気づけてくれました。

一方、〝寄らば大樹の陰〟で先方の大会社に残った3分の1の人々は、生活は保証されたものの陪臣扱いされたり、裏切り者扱いされたりして、仕事に面白みを感じることができなかったようです。希望も抱けず、士気も上がらず、あらためて、こちらの会社に来たいという人も出てくる始末でした。

主体性をもってリスクを背負いながらチャレンジする道を選択した人々を見て、私は南極探検隊を引き連れたアーネスト・シャクルトン卿を思い起こしました。

彼が南極探検隊員を募集した時の言葉です。

〝Men wanted for hazardous journey. Low wages, bitter cold, long hours of complete darkness. Safe return doubtful. Honor and recognition in event of success.〟「求む男子。至難の旅。給料は安く、寒気厳しく、長い暗黒の日々、危険たゆまなく、生還おぼつかなし、されど成功の暁には栄誉と称賛」。

2008年、新会社の経営が軌道に乗り、いよいよ上場を認可された折に（実際は、突然のリーマンショックの影響もあり、取り下げたのですが）、多くの社員が決断に満ちた自らの歩みに誇りを感じ、また、社員に分け与えていた株式を上場期に相当する金額で買い戻してそれなりのキャピタルゲインを得て喜んでいる様子を見たとき、私は、リスクを引き受け、共にチャレンジをした者だけが共有でき、味わえるなんともいえない快い感慨に浸りました。

合弁会社の設立という形を取った1回目の起業は、右も左も分からず、とにかくアメリカで学んだことを武器に夢中で駆け出したに過ぎません。

しかし、50歳を少し超えたところで迎えた2回目の起業は、私なりの営業スタイルがあり、どうすれば組織が最大の力を発揮できるかということについての考えもありました。そして、何より頼もしい仲間たちがいたのです。

海外市場で始めるダイバーシティ経営に向けて、私は心を躍らせていました。

第3章

欧米諸国から学ぶ、日本に必要な「真の多様性」

「外国」とはどこの国のこと？　「外国人」とは誰のこと？

日本人にとって、日本以外はすべて外国です。

当たり前だと思うかもしれません。しかし、「外国」という国は存在しません。アメリカがあり、中国があり、ドイツやイギリスやオーストラリア、あるのは一つひとつ異なる具体的な国です。

しかし、日本人は、「日本とそれ以外」という大雑把な区別をします。そういう区別をする限り、それぞれの国の個性は見えてきません。

私は会社経営の大方針はダイバーシティでなければならない、と思っていました。日本で目撃した多くの会社のように、疑似家族となって内に固まり、外を排除したとたんに、組織は活力を失います。

ダイバーシティ、それも、すべてを包摂したダイバーシティであることが必要だと思いました。つまり、インクルージョンです。

「ダイバーシティ&インクルージョン」とは、たとえていえば、ジグソーパズルでつくる世界地図のようなものです。ピースがいくらたくさんあっても、すべてをふさわしい位置に収め、ひとつの地図にしなければ、つまりインクルージョンしなければ、地図としての機能は発揮できません。いろいろな人がいても、そっちはそっち、こっちはこっちでやっていたら、それはダイバーシティではないのです。

アメリカがもつ活力は、「ダイバーシティ&インクルージョン」を基礎にした移民の国だからです。世界からさまざまな人が集まり、アメリカ人として定着し、多様なもののぶつかり合いをエネルギーにして新たなものを次々と生み出しています。

そして、この多様性を力にしているのは、アメリカだけではありません。

中国進出後にドイツで現地企業を買収し、グループの傘下に収めたとき、私はドイツにおけるダイバーシティの取り組みを目の当たりにしました。

ドイツが難民の受け入れを積極的に進めていることはよく知られていますが、私が買収した会社にも35人ほどの移民がすでに雇用されていました。雇用義務が政府から課せられていたからです。

彼らは週に2日間だけ会社に来ればいいことになっていました。残りの3日間は会社が学校に通わせています。労働時間は少なくても給与は現地のドイツ人と一緒ですから、会社として負担は大きくなります。しかし、国の移民受け入れ政策と歩調を合わせて民間企業も努力しているのです。

そして、移民の人たちをできるだけ早く「ドイツ人」にしようとしています。もちろん、それはなにも文化や生活習慣、宗教などのすべてをドイツ化しようというのではありません。ドイツで暮らす以上、ドイツの憲法を尊重し、ドイツ社会のルールに従って生活してほしいということです。それ以上はなにも要求していません。この点はアメリカの移民政策と同じです。アメリカも、アメリカ人にしようとしますが、その基準は合衆国憲法で、それ以上ではありません。

これはダイバーシティとインクルージョンを考えるうえでとても大切で、日本がダイバースな社会をつくれない要因のひとつだと思います。

日本では、移民を受け入れるなら、徹底的に日本人化しようとします。生活習慣はもちろん、立ち居振る舞いや言葉の微妙なニュアンスまで日本人であることを求めてしまいます。そんなことは不可能であり、必要もないのに、無意識のうちに要求しているのです。「やっぱり外国人力士に相撲の世界は分からない」と考えるのもその表れです。もともと日本は、「坊主憎けりゃ袈裟まで憎い」という諺もあるように、人種や文化について全肯定か全否定かという極端なところがあります。それが国民性なのかもしれません。

とにかく〝みんな一緒〟〝みんな同じ〟が良いことだ、という感覚があります。「阿吽の呼吸」で通じ合えることが、安心して共存できる条件なのです。

私が中国に出て、さらに東南アジアからヨーロッパの市場を目指して事業を進めるうえで最も大切にしたのは、これとは正反対のことでした。民族、文化、国、性別、能力……あらゆる違いを受け入れ、お互いその違いに学びながら力を合わせることでした。そこにこそ、成長の糧となるものがあるはずです。

経営トップの役割とは、違うものが自由にぶつかり合える空気をつくることであり、それができれば会社は発展していくのです。

私はその信念を、一人で立ち上げた新会社で実践に移そうと思っていました。

中国進出を不安視する日本企業 出資を申し出てくれた世界の企業

1995年12月、私は新しい会社を資本金5000万円で東京に設立、その後2011年に香港にグループ会社を設立しました。

それまでの日本での事業は、合弁相手であった日本の大手製紙会社側にすべて渡していましたから、とにかく中国市場に活路を見いだすしかありません。背水の陣です。

ただし、中国にはずっと注目していたので、文化や歴史、現在の政治状況や経済事情、外資に対する政策などについてはそれなりに分かっていました。

まず、進出先の国をよく知ること、そしてその歴史や文化、人々の暮らしをリスペクトし理解すること――それが私のダイバーシティ経営の出発点でした。海外で事業をするということは、まず相手を知り、理解することからスタートすべきです。相手に対するリスペクトのないところに海外事業は成立しません。

当時の中国は海外から資本や技術を導入することに非常に積極的でした。毛沢東が主導した文化大革命が終焉し、1978年には改革開放路線が採用され、中国は市場指向型の経済への移行を始めていたのです。深圳《しんせん》など4つの特区をつくって外資導入を図り、安価な労働力で労働集約型の輸出産業を育て、引き続き、大連などの沿海都市を続々と外資に開放しました。

1980年代に入ると、鄧小平がさらに改革・開放に力を入れ、間もなく「社会主義市場経済」という言葉も出てきました。

明らかに、中国は大きく舵を切ったのです。

間もなく世界も反応しました。1990年代には世界トップ企業500社の約80％が中国で会社を設立したといわれ、中国からの製品輸出が急増しました。私はまさにそのタイミングで中国に進出したのです。

海外の知人が、私に断るほどの出資を申し出てくれたのも、私が中国で事業を始めるつもりだと言ったからです。彼らは中国が世界貿易の中心に躍り出ることを正しく読んでいました。

ところが日本ではまだ、中国進出を不安視する声が圧倒的でした。

「天安門事件の影響がまだ残っているじゃないか」「共産党一党支配の国だ。いつ方針が変わらないとも限らない」「日本人のいうことなど聞かない。利用される」……忠告は次々と耳に入ってきました。

しかし、天安門事件といっても、なにも中国全土で起きていることではありません。中国の改革開放路線は確かで、外国企業は当初2年間法人税免除、その後の3年間は、利益の半分に課税という画期的な優遇策も出ていました。

識字率が高く労働力は豊富でまだ賃金水準は低くて、宗教上の制約もありません。さらに統計を見れば、世界からどれだけの製造業が拠点を構えているか、一目瞭然でした。

しかも、中国は5000年の歴史をもつ国です。紙、印刷、火薬、羅針盤の発明が中国によるものであったことはよく知られています。また、「中国人は信用できない」どころか、この国はむしろ商人の国として信用を重んじる文化をもっているのです。

『三国志』に登場する関羽が、帝王でもないのに「関帝廟」に祀られているのは、このことを示すものです。関羽は武将であると同時に商売において義に厚く信用を重んじた人物として伝承され「商売の神」とされています。

かつて共産党の「朝令暮改」があったことは事実です。しかし、それだけで「中国人は信用できない」などというのは、こちらの無知をさらけ出すものでしかありません。

そんな認識でほかの国に入り事業をすべきではないと思います。

『毛沢東語録』と『論語』を読んで中国へ　異文化を学び、受け入れるのは楽しい

自分が自国でやってきたこと、そのスタイルを外から持ち込み、押しつけるのは簡単です。日本でうまくいったからとそのスタイルを強引に持ち込もうとする人も実際に多いで

す。しかしそれでは事業の成功はおぼつきません。

海外進出にあたっての私の大原則は、当時も今も、徹底した「現地主義」です。

中国に出る前、私は中国のことをひたすら学びました。『毛沢東語録』はもちろん、鄧小平の論文も読みました。『三国志』も『論語』も、『老子』や『荘子』も、『史記』も読みました。

中国事業のために中国人も新たに雇いました。合弁会社時代に資料の中国語訳をする必要があり、インターネットを通じて出会った人がいて、彼に来てもらったのです。

いよいよ事業に着手するために入った中国は、改革開放政策の進展のせいか、国全体がいきいきとしている感じがし、街中で見かける子どもも、目を輝かせていました。人々はたくましく商才豊かで、やはりこの国はほかの共産主義国とは違うと感じました。

名言「中国人の言葉は紙よりも重い」その言葉を信じてみたら……

日本から私とともに現地に入ったのは10人ほどです。最初の仕事は貼合《てんごう》工場の確保でした。

私の会社が扱う重量物ダンボールは、大きく2つの工程でつくられます。1つがダンボール原紙を、間に波形の芯をはさんで3層構造（または2層構造）にする貼合工程、そして2つ目が、貼合されたダンボールを、梱包するものに合わせて設計し、パッケージ（包装・梱包箱）にする製函工程です。

まず貼合工場を確保しないことには事業は始まりません。そこで江蘇省南部の工業都市である常州市にある国有のダンボール工場を買収し、新たに最新の貼合機も導入して拠点にすることにしました。

しかし、この買収には苦労しました。

通常、株式会社というのは、株主総会、取締役会、監査役会の3者で運営され、お互いの関係は、民主主義政治の三権分立にも似て、株主総会が立法、取締役会が行政、監査役会が司法の役割を果たします。

ところが、中国の国有企業では「董事会《とうじかい》」と呼ばれる経営会議が社外にあって、ここが会社の現場経営責任者である総経理、つまり代表取締役社長を任免します。そして総経理は董事会から全権委任を受けて業務を遂行します。総経理は三権全部を一手に握っているようなもので権限は非常に大きいわけです。

実際、買収しようとしていた会社の社長もなかなか辞めませんでした。困ったなと思っていると、市の書記が出てきて「お前は叩けばいっぱい埃が出る。監獄に行くか、今すぐ社長室から出て行くか、どっちにする?」と言ったのです。すると社長はすぐ出て行きました。

しかしそのあとも、国有工場の買収の大変さを思い知らされることが、いくつもありました。これも異文化を知るという意味では興味深いし、海外事業ならではですが、当時はさすがにそこまで達観はできませんでした。

まず550人という社員数が多過ぎます。ただし、買収1年目は雇用を維持するという約束だったので、2年目に入ってから、10人、20人という単位で解雇していきました。もちろん退職金を支給します。ところが、自己申告で勤続年数をやたら長く言うのです。「あなたはそんなに長く働いていないはずだが」と言うと、前の工場の分も含めていると言います。同じ国営工場だから一緒だ、と。もちろんそれは拒否しました。

しかし、もめているうちに、社員はすぐストライキをするようになりました。私は全員解雇して、新たに必要な人数を再雇用することにしました。するといよいよ険悪になって、公安当局からは「一人で出歩かないほうがいい」と忠告される始末です。

この騒ぎがなんとか収められたのは、こちらが妥協しなかったことと、国有企業の生産性の低さや労働規律の緩みをなんとかしたいと思っていた市当局の協力が大きかったと思います。

国営の銀行も協力的でした。

この工場は、日本円にして25億円くらいの借入をしていました。中国の貸付に長期のものはなく、毎年ロールオーバーしていく仕組みです。これまでどおりロールオーバーしてくれるなら問題はありません。実際、彼らはそう約束してくれましたが、2年目に入って、突然全額返済してほしいと言ってきたのです。

「それは話が違う。そんなことを言うなら工場は閉鎖して引き上げるしかない。半分なら払おう。それ以上は帳消しにしてくれ」と突っぱねました。

先方は私が「引き上げる」とまで言いだすとは思ってもいなかったようで、態度を軟化させ、「分かった。3年間くれるなら、半分は帳消しにしてもいい」と言ってきました。

その半分棒引きの件を書面にしてほしいと要求すると銀行は「書面にはできないが約束は必ず守る。〝中国人の言葉は紙よりも重い〟」と名台詞を吐きました。

実際、約束は果たされました。3年後に、確かに借入は消えていたのです。

中国をはじめ私は世界各地で仕事をしてきましたが、私がいちばん騙されたのは、実は日本かもしれません。合弁相手だった大手製紙会社などは、紙に書かれた覚書すら反故にしました。確かに中国人の言葉は紙よりも重く、そして日本人の言葉は軽かったのです。

「なぜ工場内に床屋があるの?」素直だけれど、したたかな中国人

国有企業の体質の改善も中国事業で最初に取り組みが求められたことです。これも新鮮な体験でした。

ある時、中国人の技術部長を呼びました。すると「今、ちょっと席を外してます」という返事です。「どこに行ったんだ」と聞いたら「床屋に行ってます」と。

あとでいかにもさっぱりした頭で私のところに来たので、「就業時間中に床屋とはけしからん」と言ったら「社長、これは就業時間中に生えた髪なんです。だから工場内に床屋があるんです」とのらりくらりとしています。そのあと、床屋は閉めました。

ほかにも似たようなことがありました。ある時私が得意先を訪ねようと街を歩いていると、うちの会社のバスが走っていました。このバスは従業員の送迎用で、バスは会社の資産であり、運転手は社員です。それが日中、勝手に工場を出て走っていたのです。

あとでなにをしていたんだと聞いたら、「人を乗せている」と言うのです。いわゆる〝白タク〟をやって運転手が小遣い稼ぎをしていたわけです。これもすぐにやめさせました。

国有工場というのは本当にぬるま湯のようなところです。8時始業と決まっているのに、その時間に全員がそろわないのは当たり前ですし、幹部社員用にはテレビやベッドを備えた個室まで用意されていました。

個室は全廃し、汚かったトイレを修繕、朝は全員で体操をすることにして、機械の運転に関する注意事項なども伝達しました。ラジオ体操のために定時に集合するので、誰が来ていないかがすぐに分かるようになり、間もなく朝8時に全員がそろうようになりました。

1年目こそ大変でしたが、工場は2年目から軌道に乗りました。

職場がきれいになり、業績が上向いていけば社員たちもやりがいを感じて一所懸命に働きます。最初の工場は順調に稼働し、外資に対する課税猶予の恩恵もあって、業績は大きく伸びました。

毎年のように中国各都市で、受注した取引先工場のすぐそばに製函工場を設立、中国の劇的な経済成長と歩みをともにしながら、進出から10年を待たずに、貼合工場は2つになり、製函工場は30まで拡大しました。

さらに中国から海外へと事業を拡大しました。東南アジアではタイやシンガポール、マレーシア、インドネシア、韓国、台湾、インドなどに現地法人を設立。トルコ、ドイツなど、ヨーロッパでも事業を始めました。また、アメリカやイギリス、イスラエル、オーストラリアに本社をおくグループ企業と連携、世界を結ぶネットワークをつくり上げていったのです。

物流事業はネットワークが広がれば広がるほど、顧客の、なにをどこに運びたいというニーズに即応でき、提供できるメリットも大きくなります。

顧客の製品工場のすぐそばで梱包資材を設計生産し、素早く納入する。そして輸出先で着荷状況を確認し、報告する。さらにそこで再び梱包材として利用する……。一度使ったものが、空で回収されることなく有効に使え、効率よくリサイクルの工程に進むことになります。梱包用のダンボールの事業そのものに、国境を越え世界をネットワークしていく性格があったといえるかもしれません。

「日本のやり方はこうだ」とは絶対に言わない
〝とことん現地主義〟こそ海外事業の鉄則

勝算はあると踏んで始めた中国事業ですが、予想以上に順調に進み、中国を拠点に東南アジアから世界へと踏み出していくことができました。

そのなかで常に私が意識していたのが、先にも触れた「現地主義」です。それがうまく機能したことが、初の海外事業の成功につながったと思います。

つまり、日本のスタイルを持ち込まず、押しつけないということです。「日本のやり方はこうだ」とは絶対に言いません。そんなことを聞かされたら、現地の人は反発するだけです。なぜ日本と同じでなければいけないのか、と思われてしまいます。

「うちの会社のやり方はこうだ」はいいのです。しかし「これが日本流で、これがベスト」、あるいは「これでうまくいったのだから」ということは、世界で事業を展開するなら言うべきではありません。

世界中で同じことをするのがグローバルではありません。

私は徹底して「現地主義」を貫きました。もちろん、効率や安全のための最低限の就業ルールなどは共通のものがありますが、それ以外は〝現地なり〟です。

中国各地で会社を設立し、東南アジアやヨーロッパで会社をつくりましたが、社長はいずれも現地の人間です。ちなみにシンガポールをはじめとして、中国、東ヨーロッパ地域でも女性が社長として活躍しています。社員も現地の人間が中心で、日本人のスタッフは少なければ少ないほど良く、その立ち位置も、軌道に乗るまでのサポート役であると考えてきました。

これは現在も徹底しています。２０２１年の今、私たちの会社は世界に１００以上の子会社・関連会社をもち、非連結の年間売上高は7億米ドルを超え、従業員は４０００人以上に達しています。しかし、香港においたグループ会社の経営管理を統括する本社は私を入れてわずか17人。現地主義を貫けば17人でも１００社以上を動かすことができるのです。

私は日本のために事業をしているのではありません。

中国でやるなら、中国の発展と従業員の幸せのために事業を行います。タイでやるなら、タイの発展とタイの人々の幸せを考えます。

海外事業は、その土地、その国で新しいものに出会い、学び、自分も成長していくことができます。そこが魅力です。ひとつの型にはめ込もうとしたら、違いは見えないし、学びもありません。相手国の文化や歴史を尊重し、敬意を払い、それに学ぶという姿勢で接することがいちばん重要なのだと思います。

もちろんそれは「郷に入れば郷に従え」といった日本の伝統的な〝処世術〟とは異なります。うわべで習慣や風習を真似ても、なんの学びもありません。一方的に持ち込むのではなく、ただ相手に合わせるのでもない、その国や地域ならではのものをともにつくり上げていく、ということが真の多様性であると思います。

配慮の欠如による失言で痛い失敗をしたドイツでのこと

もっとも、相手の歴史や文化への配慮という点で、痛い失敗をしたことがあります。ドイツで買収した100%子会社でのことです。幹部の人たちにマネジメントの基本方針を伝える場面で、「ゲシュタポのようなことはしない」と口にしてしまいました。

その場の空気が一瞬で凍り付き、しまったと思ったけれど、遅かったのです。私は、一挙手一投足を監視するような管理はしない、ということを言いたかったのですが、戦後ドイツの最大の禁句を口にしてしまったわけです。彼らの皮膚を鋭い針で刺したようなものです。

ドイツは第2次世界大戦後、ナチスの犯した不法への賠償として8兆円ともいわれる巨額の賠償を行い、歴史教育のなかに反省を貫き、ユダヤ人迫害をはじめとするナチ時代の加害の歴史を学ぶために十分な時間を取っています。

また、積極的な移民の受け入れも続けています。トルコや南欧から２００万人もの人々を受け入れ、旧ユーゴスラビアなどからも大量の難民を受け入れています。さらに２０１５年には中東などからの80万人に上る難民受け入れを表明しました。民間企業がそれを積極的に担っていることは先にご紹介したとおりです。

もともとドイツは、１９４９年に定めたドイツ連邦共和国基本法（憲法）に、政治的に迫害された者は庇護される権利を有すると定めています。ナチスに迫害された人々を世界各国が受け入れて守ったこと、それを戦後は自らに義務として課し、ナチスの犯罪への償いとしているのです。難民受け入れという形でドイツは、戦後75年を経た今も、ヒトラーが犯した罪を償おうという意識をもち続けています。

私は自分の不用意な「ゲシュタポ発言」について何度も謝罪しました。しかし、元の関係性に戻るまでに1カ月以上かかりました。すごいと思ったのは、戦後生まれの、ヒトラー時代をまったく知らない若い世代にも、ドイツの負の歴史は今なお痛みとして受け継がれ、克服すべきものとして自覚されているということでした。

イギリス人が誇る医療制度に受けた感銘

私の会社の幹部社員が語った失敗談も、私にイギリスという国の一面を教えてくれました。彼は旅行先のイギリスで急病になり、担ぎ込まれた病院で手術が必要だと言われたのです。

海外で手術など受けたら法外な金額を請求されると危惧して、彼は日本に帰りたいという一点張りで抵抗しました。それでなんとか帰国して、日本で手術を受けたのですが、実は、イギリスの医療は旅行者であろうと誰であろうと、また、内科の検診であろうが手術であろうが、基本的に無料なのです。だから日本に戻るより、イギリスで手術を受ければお金を使わずに済んだわけです。

この幹部社員の失敗談で私が興味をもったのは、イギリスの公的医療制度でした。

アメリカの医療制度は収入に応じた〝自助〟を基本にしています。自由を最大の価値とするアメリカらしい制度だと思います。

対照的にイギリスは公的な医療制度を充実させています。ＮＨＳ（National Health Service）と呼ばれるものです。

包括的な医療サービスをすべての人に提供すること（インクルーシブネス）と、利用者の経済力ではなくニーズに応じて公平にサービスを提供することを基本精神として設計されています。年齢や性別、人種、国籍などによっていっさい差別せず、一時滞在の外国人旅行者であっても利用でき、治療だけでなく、予防やリハビリなども含めた幅広い保健医療サービスを、誰に対してでも自己負担ゼロで提供するのです。フェアネスを大事にするイギリスらしいシステムだと思いました。

私が感銘を受けたのは、制度のすばらしさということだけではありません。理想を貫いたＮＨＳをイギリス人が自分たちの誇りとして強く意識し、守り抜こうとしていることです。

２０１２年のロンドンオリンピックの開会式で、医師や看護師のコスチュームに身を包んだ大勢の俳優が登場し、患者に扮した子どもたちとともに展開したパフォーマンスを記憶している方もあるかもしれません。オリンピック開会式のフィールドに病院風景とは突飛な組み合わせですが、「これこそイギリスの誇りだ」として、プログラムに加えられたのだと聞きました。

今、ＮＨＳは税負担の増大で運営が非常に厳しくなっているといわれます。今後はさまざまな対策も取られていくことが予想されます。しかし、イギリス人がフェアネスを象徴した医療制度をナショナルアイデンティティとしてもち、維持していこうとしていることは、学ぶべきことだと思います。

なぜなら、これが多様性のもう一つの面だからです。

精神的な核になるものがあってこそ、多様な人々が、多様なままで一つになれます。逆にいえば、多様性を活かすためには、多様なものをまとめる一つの結集軸をもたなければならないということです。私はそれをイギリス人のＮＨＳへの態度から学びました。

失敗もありましたが、日本から世界を眺め、日本の会社として世界に出て行くのではなく、あらかじめ世界のなかに身をおき、そこから各国の文化や歴史、習慣に触れながら事業を進めた時に見えてくる世界は魅力的でした。

多様性というのは、違いが見えるように立ち、違いに素直に学ぶところからしか生まれないと思います。たかがダンボールの、人によっては超ドメスティックな産業としか受け止められない事業ながら、しかし、この仕事は、世界の多くの人々との出会いを通して、私にグローバルビジネスの魅力を教えてくれました。

第4章

世界のトップ企業が行う「ダイバーシティ経営」多様な人材を集めれば、個人・組織が成長できる

誰が会社に必要な人材か、第三者が判定する

「気心の知れた同じ日本人がいい」——日本では効率がよく生産的な組織とは、こうした単一なものだと考えられがちではないでしょうか。

しかし、これは間違いです。むしろ逆なのです。多様性がなければ、新しいものは生まれず、進歩もありません。

世界を席巻するＧＡＦＡＭがすべて多様性を尊重するアメリカ生まれであることは先にご紹介したとおりです。アメリカ自身も、多様性を尊重することで発展していけるのを知っています。だから、トランプ政権時代に少し足踏みしたとはいえ、移民を積極的に受け入れ、人種や民族、国籍、身体能力や性別、性的嗜好、学歴など、どのような点においても人と人を隔てたり、差別したりすることを許しません。

誰もが平等なスタートラインに立ち、能力だけが評価されます。企業が人の採用で年齢

を聞くのも御法度です。

実際、私がアメリカで目の当たりにしたことですが、ある大手企業が同業の別の大手企業をM&Aで吸収合併した際にこんなことが行われました。買収する会社の外に第三者による人事委員会がつくられたのです。経営コンサルティング会社によるものでした。

この人事委員会には買収に関係する2社の社員は一人も加わっていません。そして人事委員会のもとに全社員のデータが届きます。もちろんどちらの会社に所属していたかは伏せられていますし、男女の別も分かりません。そして人事委員会が、今後の業務推進に欠かせないと認めた人だけが、明確な理由を伴って雇用されます。

一人ひとりのマーケットバリューはそのとき初めて、外部の人間によって客観的に判定されることになります。自分は前の会社で重要なポジションにいたとか、重役の誰々と親しかったとか、社歴が誰よりも長いとか、そういうことはまったく関係ないのです。

アメリカでは、そうしないと株主が黙っていない、という事情もあります。

また、なぜそういう人事策になったのか、新執行部はどういう理由で、誰を雇い、誰を雇わなかったのか——これに明確に答えられなければなりません。「アカウンタビリティ」と呼ばれる説明責任がついて回るのです。できなければ、株主への背任です。

日本では「新会社設立準備室」といったものが両社の経営層や人事系の社員でつくられ、大概の場合、買ったほうの社員は安穏としていて、買われた側の社員は心細そうにしています。

対等合併の場合は、なにもかも同じ人数で、人を減らすにしても同じだけ減らすといった機械的な作業が行われます。役員人事も「たすき掛け」などと呼ばれますが、今後の経営目標や経営者としての力量とはなんの関係もないところで、「不公平がないように」といった配慮から、交代で社長を務めるのです。

日本を代表するメガバンクや生命保険会社、大手鉄鋼製造業などで、つい最近までたすき掛け人事が行われていたことはよく知られています。

社員が合併を通して一つになっていれば、こんな必要はありません。しかし、社員も旧所属を意識して二分されたままだから「自分たちの親分」のことが気になるのです。トップであり続けてほしいと思うから「じゃあ公平に交代で」というところに落ちつきます。株主総会で問題になることもまずありません。質問もなく「議長一任」といったことが行われます。

「たすき掛け人事」など、世界ではまったく通用しない異様な人事施策です。しかし、もっと驚くことは、日本のなかに異様だという自覚がないだけでなく、社員もマスメディアも当たり前のように「次はどっちの誰」という噂話を楽しんでいることです。この精神風土からＧＡＦＡＭのような企業は生まれようもありません。

採用の決め手はたったの３つ「華やかな履歴書」も大歓迎！

私自身も、社員の採用を進めるにあたっては、極力シンプルな指標で、余計な情報に振り回されないようにと考えています。例えば私がマネジメント層の採用に関して注目するのは３点だけです。

まず「やる気があるかどうか」。これは説明不要でしょう。

次に「能力があるかどうか」。もちろん能力といっても、偏差値の高い大学を出ているといった、学歴のことではありません。学歴は過去の能力であって、その会社の仕事で発揮できる能力があるかどうかは別問題なのです。そして採用側が見るべき能力はそれのみです。

そして、3つ目に注目するのは「人格者であるかどうか」です。なぜなら、人のリスペクトは人格や人徳という点に向かうからです。

私はアメリカの本社に入った年の研修で、ピーター・ドラッカーの「経営管理論」の講義を受けました。今でも忘れないのは、私が「リーダーとして最も重要なことはなにか」と質問をしたときに、ドラッカーが「相手にリスペクトされる人間であるかどうかだ。リスペクトがなければ、人は指示に従わない」と答えたことです。責任感や統率力といった答えが返ってくるかと思っていたので、まずなにより「人格者であれ」と教えられたことはとても印象的でした。

また、私が採用で意識しているのは、転職を重ねた人の、その行為を否定しないということです。

日本では終身雇用が前提になっているせいか、転職しながらキャリアを積むということを快く受け止めないという傾向があります。「石の上にも3年」などと言って、我慢することを美徳として、奨励します。職歴欄に多くの会社名が並んでいると「我慢ができない」とか「フラフラしている」といったマイナスの評価をするのです。いろいろな経験を積み、スキルを磨いていると肯定的に受け止める人はいません。

しかし、アメリカでは、数多くの職業を経験してきたということを示す「華やかな履歴書」を差し出す人はいくらでもいます。その結果、今もっているスキルや仕事観などが、就職しようとする会社が求めるものに合うなら、「華やかな履歴書」にも価値があります。

転職を重ねているからダメ、と決めつけてしまったら、多様な人材を雇用することはできないでしょう。

社員の解雇に心を痛めなくなった理由

働く人間は、各自が自分を必要とする会社で、自分が身につけたいと思うスキルを積み重ねていくのだと知ったとき、私は経営者として時に求められる「クビの宣告」に対する精神的な負担が減りました。

私がクビにしようとしている相手は、能力がないのではなくて、私の会社が今やろうとしていること、そのために求めている人材像に合わないだけなのです。それを無理に雇い続けても、逆に彼、あるいは彼女のためになりません。年齢を重ねればさらに再就職は難しくなるはずです。その意味でも早く次のチャンスを与えたほうがいいわけです。

私は目の前の相手の人間的な資質や能力のすべてを判定しているのではありません。会社が今求める能力をもっているかどうか、それに合致しているかどうかだけを見ているのです。

もちろん私はミスマッチをあとで悔やまないように〝目利き〟でなければなりません。しかし、間違えることもあります。実際、会社を去っていったある人は、その後、学習塾を経営して大きく育てました。お子さんも希望する国立大に入って、その後も志す道を順調に進んでいます。

私はニコニコしながら人をクビにするというので〝スマイリングキラー〟などと揶揄されましたが、なにも人に辞めてもらうのが楽しかったのではありません。ただ私は心のなかで、「次の道でこそ、あなたらしさや能力を活かして活躍してほしい、そのスタートになってほしい」と思っていたのです。

日本では考えられない、奇人・変人大歓迎という発想

多様性に富み、創造性豊かな組織をつくるためには、平均的な能力の高さではなく、ある面で突出した才能や能力をもつメンバーを擁することも重要です。

もちろんそういう人ばかりでは、組織を運営することはできません。つまり企業には2種類の人材が必要なのです。一方は、積み上げた実績を確実に守り、さらに伸ばしていく〝守り〟の人です。それが組織を支える基本です。

しかし他方では、誰も思いつかなかったような斬新な発想や思い切ったチャレンジを通して、ゼロから1を生み出す新規事業創造の力も必要です。いわば〝攻め〟の人材です。こちらは多数派である必要はありません。もし多数派であったら、組織の安定は図れない。

ただし、〝攻め〟のグループを、〝守り〟のグループの下におくことはできません。しばしば見られるのは、新規事業開発に挑むグループを営業部門など、〝守り〟の部隊の下に据えてしまうことです。

これではせっかく新製品のアイデアを出しても「利益が出ない」「上が認めない」といった営業部門の声に押しつぶされてしまいます。新規開発に携わる組織は少数でも独立したグループであり「面白そうだ。やってみよう」と決断できる経営トップ直結であるべきです。

このことを私は、アメリカで受けた社会人1年目の研修で学びました。IBMのインターンシップに参加したときです。

いわば〝奇人・変人クラブ〟のようなグループが社内に存在し、朝から晩まで自由闊達に議論をしているのです。私も参加したことがありますが、内容の奔放さにびっくりしました。1970年代の初め頃のことですから、まだ「ベンチャー」といった言葉もありません。しかし、今でいう社内ベンチャーのようなグループがIBMという大企業のなかに、意識的につくられていたのです。絶え間ない成長と変革のために、こういうことをしているのだという発見は、とても新鮮でした。まさに多様性です。

組織を安定させるだけでなく、突出した個性的な集団を組織し、かつそれを〝お飾り〟ではなく、きちんと機能するものとして擁する――これこそ、守りにも攻めにも強い組織づくりにつながるものだといえます。

仕事しか頭にない経営者を脱すること

日本の企業でこういう突出したグループを許し、意識的に育てようとする度量のあるトップはなかなかいません。

対照的に、私がダンボールの仕事のなかで出会った欧米の経営者には、魅力溢れる人がたくさんいました。

経営手腕という意味ではもちろんですが、豊かな教養をもち、人間的にも非常に魅力的で、事業を離れて絵画や音楽、ワインやスポーツなどを楽しむ人が少なくありませんでした。逆に、こういう世界の広さをもっていなければ、思いがけない着想を面白がることはできないのです。

特に私が覚えているのは、アメリカの本社を買収して一時所有したヨーロッパの商社を経営していたハンス・ティッセン男爵、すなわちバロン・ティッセンです。

スペインのマドリードにあるティッセン・ボルネミッサ美術館は有名ですが、これは、バロン・ティッセンの父親であるハインリヒ・ティッセンのコレクションが中心です。ハインリヒは、ドイツの鉄鋼財閥ティッセン家とハンガリー貴族ボルネミッサ男爵家の流れを汲む富豪で、息子のバロン・ティッセンも近代、現代の絵画作品に関心を広げ、膨大な個人コレクションを所有しています。

スペインの鬼才といわれるサルバドール・ダリを発掘したのもバロン・ティッセンでした。本当の目利きだったのです。お金があるから、すでに名声の確立した作品を買ったというのではありません。彼が買ったことで作品が注目され、なるほどすばらしいものだと評価が高まったのです。

日本の実業家でも、高額の絵画の購入で話題になる人もいますが、ニュースの中心はその金額だったように思います。その人が発掘したものではありません。いい換えれば、お金さえあれば誰でもできる買い物でした。

人がどう言っているということではなく、自分の目でそれを面白いと直感し、評価する——その鋭さは、経営に通じるものです。

逆にいえば、絵画や音楽などに触れ、自らの感性を磨くことは、経営を担う人間にとって大切だということです。〝奇人・変人〟のひらめきに面白さを見いだし、その背中を押せることが、組織を活性化し経営を前に向かって不断に進めていく力になります。そのためには、経営者はアートの理解者であるべきだと思います。

自分に無関係な人間など一人もいない

私自身、ブラジルに生まれ、小中高と日本で過ごし、高校卒業後にアメリカに渡るなど、一般的な日本人よりは海外に親しんで生きてきました。さらに、アフロアメリカンの妻と暮らして、初めて知ったこと、学んだことは少なくありません。

妻が黒人だったからこそ学べたことは多く、彼女と結婚しなければ私は視野の狭い人間のままだっただろうと思います。彼女との出会いがなければ、マイノリティの歴史を深く知ることはなかった。その点で、私は妻との出会いに感謝しています。

私がブラジルのサンパウロで生まれて4カ月ほど経ったとき、私は暖炉に落ちるという事故に遭いました。皮膚の4分の1近くにやけどを負い、重傷でした。

幸いなことに、隣にドイツから亡命してきたユダヤ系の医師夫妻がいました。

この2人が懸命に看病してくれたおかげで、私の目や耳や指などはくっついてしまわずにすんだのです。あとから聞いた話では、オリーブ油のようなものを、毎日、昼夜を分かたず一定の時間おきに塗り続けてくれたのだそうです。また、ベビーシッターとして私の家で働いていたインディオの少女も、懸命に私の世話をしてくれたそうです。

後年、私の一家がブラジルから日本に戻り、私も小学校に通い始めていた頃ですが、件のユダヤ系の夫妻が日本を訪れ、私を養子に欲しいと父に頼んだそうです。

父は、自分の不注意で大けがをさせた子どもであり、自分の責任で育てるつもりだと言って断ったと聞きましたが、もしかしたら私はこの夫妻の子どもになっていたかもしれません。そうするとどんな人生があったのだろうと思います。

世界は広く、そこで重ねられる出会いには、人生を大きく変えるようなものもたくさんあるのです。ブラジルのサンパウロに生まれたことは、私の選択ではありませんが、海外でのさまざまな体験が生涯にわたって世界を意識し、世界で出会う人を楽しみに思う私の感性を育ててくれた。私はそのことに感謝したいと思っています。

私にはもう一人、〝第2の母〟と呼ぶべきアメリカ人女性がいます。この方との出会いも、アメリカに渡ったからこそ実現したものであり、私の人生を大きく左右したものでした。高校を卒業したばかりの私の英語力は、シカゴ大学で英語で行われる講義を受けるのには不十分でした。そのため、まずは大学で学ぶに堪え得る英語力を身につけるため、ミズーリ州の大学に通いました。広大なとうもろこし畑が広がる田舎町の大学です。ところが入学間もないある日、私は図書館で脳震盪を起こして病院に担ぎ込まれました。

病状は芳しくなかったようです。医師が、大都市のシカゴの病院で治療したほうがいいと判断し、シカゴ在住で自身の育ての親であるプラット夫人を呼んでくれました。そして駆け付けた夫人は親切にも私をシカゴ大学の病院に入院させてくれたのです。

ここから私のシカゴ生活が始まったのですが、夫人との出会いは、私の人生を大きく変えることになりました。

それは単に、シカゴでのさまざまな出会いのきっかけをつくってくれたという意味だけではありません。

プラット家はアメリカの第19代大統領ラザフォード・ヘイズの子孫でした。シカゴで南部から逃れてきた黒人をかくまうアンダーグラウンドのステーションとしての役割を果たし、ほかにも共産圏からの亡命者、戦時中の強制疎開地から逃れた日本人、海外からアメリカに渡ってきた貧しい家族や留学生たちを何百人となく受け入れ、面倒を見てきた一族なのです。

彼らを無料で家に住まわせ、食事を与え、学費まで工面して学校に通わせた、まさに利他の人でした。アフリカでのシュヴァイツァー博士やインドでのマザー・テレサのことは本で知ってはいましたが、それはどこまでも知識の世界です。こうした一族が実際に世の中にいることを知り、今まさに目の前で私を救ってくれているということは、大変な衝撃でした。

妻も、ブラジルのユダヤ系の夫妻やインディオの少女も、そしてプラット夫人も、偶然に偶然が重なって出会った人に過ぎません。

しかし、この人々との出会いがなければ、今の私はないのです。そう考えると、人は誰も一人で生きているのではなく、さまざまな人に支えられて生きているのだという実感が湧きます。ブラジルに生まれ、その後アメリカに渡ったことが、私をとてつもなく広い世界に連れ出してくれました。

私がよく人に聞かせるたとえ話があります。

ごく簡単な計算です。人間の出生には両親がいます。その両親には、それぞれ両親がいます。つまり2代前には子どもから見れば4人の祖父母がいます。3代前の曾祖父母は8人になります。

このように自分から何代も遡っていくと、親、その親、そのまた親と、どんどん数が増えていく。誰でも知っている2の累乗計算です。すると10代前は1024人、20代前は104万8576人にもなります。

この先祖からの縦に長い連鎖のなかで、その一人でも欠けたら私は存在していません。そして、そういう縦の連鎖を背負った人間が横につながって、今の自分が生きているのです。

こう考えると、人間皆兄弟ということも頷けるし、地球上に無関係な人間は一人もいないと感じられると思います。

先祖から続いている長い縦の関係と、今の自分を生かしている人々との横の関係が、私たちの命であるといえるのです。それにもかかわらず、同じ赤い血が流れる人間を、皮相なことで区別して差別します。それは自分の世界を限りなく狭めることでしかありません。

私たちは出会いを繰り返し、互いに学びながらそれぞれの人生を生きている。その機会を多くもつこと、そこから多くを学ぶことが必要です。

インターネットを通じて、あらゆる情報が瞬時に手に入る今では、分かったつもり、知ったつもりになることは簡単です。しかし、それはあくまでも他人が整理した情報であり、自分の頭や体を通したものではありません。大いに利用すべきものではあるけれども、その限界は知っておくべきです。

多くの出会いを求め、それを大切にすることこそ、多様なものに学び、自分を成長させていくことにつながるのです。

第5章

日本を愛せば多様性への理解はさらに深まる——グローバル社会で〝日本人の強み〟を活かせ

自分を知ることが相手への敬意につながる

逆説的な言い方になりますが、多様性を尊重し、そこから学ぶことができる人は、自分を知り、自分らしさへのこだわりをもっている人ではないかと思います。自分が確固としてあるからこそ、他人の存在やその個性を認め、リスペクトすることができるからです。

それは個人だけではなく、あらゆる組織、あるいは国家についても同様です。自国の魅力、自国らしさへのこだわりがあるからこそ、他国の個性が見え、それを尊重しようという意識が生まれます。〝根無し草〟になってしまったら、相手の背景や拠って立つものも見えなくなるのです。

そういう意味で、私は日本という国への理解と愛情こそ、多様な世界を受け止め、学び合うことの出発点になるものだと思っています。

世界がコロナ禍に苦しめられている今でこそ勢いは鈍りましたが、数年前のインバウンドの急激な拡大は、日本人が見失っていた日本の魅力を、海外の人々の目が、あらためて教えてくれるものになりました。

2000年の訪日外国人数は、約476万人に過ぎません。10年後の2010年もまだ861万人ほどです。ところが、2013年に1000万人の大台を突破すると、わずか3年後の2016年には2400万人余りになりました（日本政府観光局のデータ）。もともと日本政府は「2020年までに2000万人のインバウンドを呼び込む」ということを目標に掲げていたのです。それを5年近くも前倒しで達成し、2018年には一気に3120万人へと急増していきました。

背景には、格安航空会社（LCC）のネットワークの拡大、ビザの発給要件緩和や免税制度の拡充、円安などいろいろありますが、最大の理由は、やはり日本のもつ魅力だと思います。

今さらいうまでもないことですが、温帯に属する日本の気候は1年を通して過ごしやすく、しかも四季が鮮やかに巡ります。同じ温帯でも、ここまで四季が際立ち、それぞれが美しいという国はありません。

自然に溶け込むような寺社建築や旧家のたたずまいの美しさ、縁側に代表される庭と一体の暮らし、緑豊かな景観や、日本中のあらゆるところで湧く温泉、「目で食す」とすらいわれる繊細な和食文化、着物という美しい伝統衣装、茶道や華道、書道など、「道」として人の成熟を目指す精神文化、数百年の歴史を継承する能や歌舞伎といった伝統芸能、そして世界中の食事が楽しめる世界各国のレストランがあり、発達した交通網、衛生的で治安の良い街、さらに人も親切で優しい。

また、収入や生活上で上下のギャップが少ない社会は、安定度が高く、激しいデモもストライキもありません。

確かに日本は、過ごしやすく魅力がある国だといえます。

「クールジャパン」で満足していていいのか？

しかし、私たちはこの魅力に無自覚です。

海外留学や海外勤務でしばらく海外で生活した人の口から「日本のことをいろいろ聞かれたけれどなにも答えられず、恥ずかしかった。自分は日本のことをまったく知らないと気づかされた」と聞かされることは少なくありません。

「カブキのルーツはなに？　あのお化粧の意味は？」

「ゲイシャって、いつからいるの？」

すぐには答えられないのではないでしょうか。実際、私たちは本当に自国のことに疎いのです。

日本人はもっと自国の文化に誇りをもつべきだと思います。それは他国の文化への関心につながり、多様性の獲得への道を拓くはずです。

海外で生活しているとよく分かるのですが、日本は自国のPRがつくづく下手です。例えば中国のテレビ、ラジオ番組は多くの国で視聴できるようになっているのですが、日本の番組はほとんど見かけません。NHKの国際放送くらいで、内容もニュースが中心で魅力がありません。

日本の魅力を発信する目的で2013年11月に立ち上げられたクールジャパン機構（海外需要開拓支援機構）も、600億円近い税金をつぎ込みながら、今はアートとして認知されているマンガやアニメなどがあるものの、多くはご当地キャラの紹介や日本産品の展示販売など、知恵のないおざなりなものばかりで、ほとんどの事業が赤字です。成果といえるものはなに一つないといっていいほどありません。結局、官僚の天下り機構が一つ増えただけに終わっています。本気で日本の文化を海外に紹介する気があるのか、企画した人たちは、本当の日本を知っているのか、と疑いたくなります。

「お座敷は日本文化の縮図」 外国人初の芸者・紗幸さんが教えてくれた本当の日本の美しさ

そんな思いでいるときに出会ったのが、日本に住むオーストラリア人女性で、東京・深川で芸者の置屋を営んでいる紗幸《さゆき》さんでした。

本名はフィオナ・グラハムさん。メルボルン生まれの人類学者です。客員教授として早稲田大学や東洋大学などで日本文化についての講義をしていますが、紗幸という名前をもつことから分かるように、修業を積んで晴れて芸者となりました。今は半玉（京都では舞妓）と呼ばれる若手に、踊り、お茶、太鼓、歌、三味線、芸者文化などを教えながら、自らもお座敷を勤めています。

私が最初に紗幸さんを知ったのは、人間ドックを受診するために行った病院で何気なく観たテレビ番組です。

お座敷で和楽器を披露する紗幸さん（右）

こんな人がいるのかと驚きました。なにか応援できることがないかという思いもあって、「一度会いたい」と、インターネットで知った連絡先にメッセージを送りました。２０１７年頃のことだったと覚えています。

すぐにお会いすることができ、本当にすばらしいチャレンジをしている人だと思いました。いろいろな縁もありました。彼女は慶應義塾大学で心理学を学び、学位を取得したのですが、そのときの恩師が岩男寿美子先生だというのです。私も岩男先生とはお付き合いがあり、先生が力を尽くしてタンザニアに開校した全寮制のさくら女子中学校開設にあたっては、私もお手伝いをしました。私がシカゴ大学に進む道を拓いてくれたプラット夫人同様に、「利他の精神」を、身をもって教えてくれた方でもあります。

いよいよ縁を感じた私は、なにか応援ができればと思い、私の知る京のおばんざい店の女将さん――もともと芸妓だった人です――を紹介したり、紗幸さんがまだ見たことがないというので大相撲を枡席で一緒に見物したりしました。

さらに「今、日本でいちばん困っていることはなんですか？」と聞くと、稽古に使う場所だということでした。三味線や太鼓、鉦など、音の出るものが多く、賃貸アパートでは周囲から苦情が出て、契約の更新を断られることが多く、そのため年中、アパート探しをして引っ越しをしなければならないというのです。

たまたま私の住まいで、海外から訪ねてくるゲストに泊まってもらえるようにリフォームしようと思っていたところが空いていました。そこを安く提供することにしたのです。無償あるいは法外な安値では、かえって贈与と見られたりするので、「近所の子どもたちに英語を教えてやってくれ」ともお願いして今に至ります。

オーストラリア人の紗幸さんを日本に結び付けたきっかけは、高校1年生のときの交換留学です。オーストラリア国内の牧場で1年間過ごすというプログラムもあったそうですが、彼女はもっと遠い世界に行ってみたいと思って、プログラムの一つにあった日本の高校への留学を選びました。

美しいものが好きだった高校生は、着物をはじめ日本のさまざまなものに魅せられ、留学期間終了後もそのまま日本に滞在、さらに日本の大学に進んで社会人類学を専攻し、日本文化を専門に勉強しました。

そのときにフィールドワークの一環として花柳界を深く学ぶために入門したのが、浅草の花柳界だったのです。

浅草の見番組合に許可を得て入門。その後、通算4年間にわたって浅草で芸者としての修業を続け、一人前になって浅草の芸者としてお披露目もしました。

晴れて外国人として初めての芸者となった紗幸さんは、浅草で世話になったお姐さんが病気で亡くなられたときに、その跡を襲って浅草の芸者置屋の女将さん業を継ごうとしました。ところが、浅草が封建的な土地だったのか「外国人はだめ」と一方的に決定され、紗幸さんは浅草ではない別の花柳界に行くしかありませんでした。

半玉さんを育てる場所を探していたときに、紗幸さんは川沿いで桜並木を目の前に眺める築62年のひなびた日本家屋に出会います。写真だけですぐに申し込むほど惚れ込んだロケーションでした。しかも場所は深川。深川は日本で最も古い花柳界があったところで、かつて辰巳芸者と呼ばれた芸者さんの置屋が並んでいました。まさにその一角です。

紗幸さんはすぐに契約を結び「深川芸者　紗幸の置屋」を開きました。そして、すでに25年前に看板を下ろしていた深川の花柳界の復活に着手します。置屋が閉じて仕事を失った年配の芸者衆をもう一度お座敷に呼び戻し、他方では、着物を一人で着ることもできず、礼儀作法も知らない、もちろん踊りも知らず、三味線も弾けないという半玉さんたちを高校に通わせながら指導しています。さらにお座敷や屋形船、イベントなどを企画しながら、芸者との時間を過ごす楽しみを広めていく――八面六臂の活躍です。

芸者の世界のどこにそんなに惹かれるのか、一度聞いたことがあります。答えは明快でした。

「お座敷は日本文化の縮図です。私が好きな日本の美しいもののすべてがあるんです。建築があり、そのなかで日本のおいしいお料理を食べ、お酒を楽しみ、芸者の着物を見て、音楽を聴き、踊りを見て、掛け軸や陶器で日本の心に触れる。窓の外には四季の美しさを見せてくれる庭がある。小さなお座敷の中に、季節を楽しむ日本文化のすべてが詰まっている。こんな場所は、世界にありません。庭は庭、お料理はお料理、建築は建築、踊りは踊り、というように、美しいもの、魅力的なものがあっても、バラバラに楽しむしかない。でもお座敷に芸者を呼べば、それだけで日本文化体験ができるんです」

言われてみれば、まさしくそのとおりだと思いました。

「外国人には分からない」というのは負け惜しみ

しかも、私が紗幸さんを応援したいと思うのは、自分が価値を認めるもののために、信念を貫いて生きていこうとしているからです。

紗幸さんが女将になることを拒否した浅草の花柳界は、実は特別だったわけではありません。紗幸さんのような人が現れたときの日本人のリアクションは、いつも同じです。「外国人には分からない」と壁をつくり、自らの世界に入れないようにするのです。なんと料簡の狭い発想でしょうか。これでは日本文化については日本人同士でしか話ができないことになります。紗幸さんは明確にこう言いました。

「その国の文化を本当に愛するのは、この国に生まれた人ではなくて、この国を選んで住みついた人ではないでしょうか。この国の文化が好きだという人が集まれば、文化の強い守り手になり、継承者になると思います。そもそも日本人、外国人と分けること自体がおかしい。私はこの国を選んだ永住者です。日本文化を語り、楽しむために、それ以上のなにが必要なのでしょう?」

紗幸さんの言うとおりです。その国を目指して入国する移民がたくさんいる国は、その文化がどんどん強くなります。「移民国家アメリカ」の強さと魅力もそこにあるのではないかと思います。

日本でも入管法が改正され、今や「移民大国だ」と言う人がいます。しかしこの認識は間違っています。日本が増やそうとしている移民は、不足する労働力を安価で確保するためのものに過ぎません。だから「特定技能」の保有者を、5年間という上限を設けたうえで滞在を許可するというものになっているのです。特に熟練した技能者を除いて基本的には家族の帯同も認めません。移民を単なる労働力としてしか見ていないことは明らかです。

今、紗幸さんは、お座敷に芸者衆を派遣する置屋としての仕事をしながら、「深川の舞妓ちゃんと一杯」といったユニークな企画で、お座敷での〝フルコース〟のメニューとは別に、身近に、そして気軽に芸者との時間が楽しめる企画を進めています。例によって、旧態依然の花柳界からは批判の声も上がっているのだそうです。しかし紗幸さんは負けていません。

「私は、芸者の世界がもつ伝統のすばらしいところはすべて守って、そのうえでビジネスのやり方に新しいものを付け加えているだけです。でも、私の企画を批判する花柳界のなかには、逆に、伝統のほうを歪めてビジネスは変えないというものも多いのです」

〝一見さんお断り〟という閉鎖的で堅苦しい世界はそのまま、宣伝はしない、インターネットもやらない、着物はどんどん安っぽくなっていって、女優の卵みたいな人がおしろいも塗らないでコンパニオンのようにアルバイトでお座敷に出る……。

「この人たちが守っているのは、形骸化したしきたりのようなものだけで、肝心の芸者文化をどんどんみすぼらしいものに変えてしまっています。このほうがよほど問題ではないでしょうか。日本人か、そうではないのかと国籍を楯に批判し、結局、伝統をないがしろにしてしまっているのです」と語っていました。

確かに、その文化を支持する根拠が国籍にしかないなら、担い手の国籍さえ日本であればなんでも良いことになってしまいます。その質が変容しても、それに気づくことすらできません。

受け継ぐ者は「その文化をいかに愛しているか」を基準にすればいい

日本人がそれほどこだわる国籍で、人間のなにかが決まるということはないはずです。私は国籍というのは、その人間の国際的な移動や他国での活動を保護する便宜上の機構や機能であって、それ以上の、人の価値を根本的に左右するようなものではないと思っています。

しかし、日本は異常に国籍を気にする社会です。

意識だけでなく制度においてもそうです。単一の国籍しか認めず、二重国籍、三重国籍の場合、一定の期間までにいずれかの国籍の選択を迫られます。

私の両親は日本人ですが、ブラジルで移民関係の仕事をしていたため、私は両親がブラジルで生活しているときにブラジルで生まれました。当時も今も、国籍について、いわゆる「出生地主義」を採用するブラジルは、両親の国籍にかかわらず、自国の領土内で生まれた子どもに自動的に国籍を与えます。中南米の多くの国やアメリカ、カナダも同様の考え方を採っています。

ですから私はブラジル国籍も保有するのですが、あるときそれを知った日本政府は、「二重国籍は認められない。一方を破棄しなさい」と通告してきました。

別に2つの国籍をもっていてなんの問題があるのかと思いましたが、日本での暮らしに支障が出ても困るので、私は、日本のブラジル領事館を訪ね、日本政府から国籍離脱に関する書類をもらってこいと言われたから来た、と趣旨を話すと「必要だというなら書きましょう。しかしわが国が与えた国籍を日本政府が捨てろというのはどういうわけでしょう。しばらくもっていればいいですよ」と、おおらかなものでした。

日本で生まれ、日本でずっと暮らしている日本人からすれば、日本政府の単一国籍へのこだわりはごく当たり前と映るもしれません。しかし、決して世界の常識ではないのです。

紗幸さんが明確に指摘したように、日本人だから日本文化を愛するのではなく、日本文化を愛するから日本人なのです。順番を間違えてはいけない。要は先祖代々の血統の話ではありません。その意味で、私たちは本当の意味で日本人たり得ているのか、と思います。

紗幸さんの存在は、そのことを教えてくれています。

第6章

「真の多様性」を受け入れて、世界をリードする国となれ

「これが絶対！」は存在しない科学的思考をしよう

多様な人との出会いを価値創造の源泉とするためには、ただそこにいろいろな人が集まっているということでは足りません。互いに学び合う関係をつくるためには相手をリスペクトすることはもちろん、仮に意見が違っても自分だけが正しいというドグマにとらわれないことです。それではせっかく多様なものが出会っても、価値がありません。そもそもバックグラウンドが違うのだから、対立があるのは当たり前です。

その点、私が学んだ数学の根底に流れる精神は大切なものだと思います。

数学では「それ以上は厳密に定義できない」という世界があることを教えられます。

例えば「あいだ」という言葉があります。

目の前になんでもいいですから、２つの物を置いてください。鉛筆２本でもかまいません。その2本の鉛筆のあいだに消しゴムを置きます。「2本の鉛筆のあいだに消しゴムがある」といえば誰でも納得します。しかし、1本の鉛筆を消しゴムから離したら、それでも「あいだ」といえるでしょうか。多少離れたくらいなら相変わらず「あいだ」といえるかもしれません。しかし、遠くに離したら、「あいだ」にあるといえるか、ちょっと不安になりますね。いったいどこまでが「あいだ」を指すのか、はっきり答えられない人も多いと思います。

数学ではこれをアンデファインド・ターム（undefined term）と呼びます。つまり、厳密には定義できない言葉ということです。どこまでを「あいだ」というのか、数学的には定義できません。こういう言葉があると知っていることは重要です。そこで延々と議論をしても始まらないからです。

数学に限らず自然科学の世界では、「これが絶対正しい」「これしかない」という発想は生まれません。アンデファインド・タームがあり、証明が困難なものがあり、まだ理由が解明されていないものがいくらでもあります。例えば光はガラスを通るときに減速しますが、出て行くときには再び速度を取り戻しています。このエネルギーをどこから得ているのか、実は今でも解明されていません。

数学は「間違っているかもしれない」と最後まで疑っている学問であり、証明されていないものを絶対と主張することを認めない学問です。

ドグマに陥りがちなのは、むしろ文学や哲学といった文系の発想です。美しいものに触れ心を涵養《かんよう》することは大切です。しかし、私が美しいと言うのだから美しいのだ、と言ってはいけないのです。

17世紀のフランスの数学者パスカルといえば『パンセ』に記した「人間は、自然のうちで最も弱い一本の葦に過ぎない。しかしそれは考える葦である」という名言がよく知られていますが、その後段で「正確に思考することが道徳の第一原則である」と書いています。

多様な世界を受け入れるためには、ドグマを避け、最後まで「自分は間違っているかもしれない」という疑いを持ち続ける科学的思考を大切にしなければならないと思います。

妬《ねた》み嫉《そね》みからは成長も創造も生まれないことに気づく

多様性を排除し、内に閉じた社会からは、新たな発見や創造は生まれません。なぜなら、そのような世界をドライブするのは、妬み嫉みでしかないからです。

均質な社会では、誰かが突出することはありません。それは許されず、だから発展も創造もありません。

こんなことがありました。あるとき、日本の販売代理店の人を集めてアメリカの本社に研修に出かけたのです。そのプログラムのなかに、フロリダでクルーザーをチャーターし、運河を巡るレクリエーションがありました。ちょうどそのルートに、アメリカの副社長の家が見える場所があった。副社長ですから家はそれなりに立派で、クルーザーも留まっています。

私が指差してその家を紹介すると、日本の代理店の人たちは見事に同じ反応をしました。「あんな大きな家に住んでおまけにクルーザーまである。だからおたくの会社のダンボールは高いんだ。ぼろ儲けしてるんじゃないの？」と言うのです。

しかし乗り合わせていたアメリカ人スタッフの反応はまったく違いました。「羨ましい。自分も頑張ってああいう暮らしがしたい」と。

日本の同質で相対的な世界に生きる人には、成功者に対しては妬み嫉み、という心理が働くのです。

「うまいことやりやがった」「ずるく立ち回った」と受け止め、素直に成功を祝福したり、努力や実力を認めようとしない。ここからは、自分も頑張るという意識は生まれず、成長も創造もありません。

成功者に対して妬み嫉みで臨む人は、その裏返しとして、成功できなかった者には敗者の烙印を押してその足を引っ張ります。同質社会から突出することを良く思わない心情の、もう一つの側面です。

日本には失敗を「恥」と見る風潮がありますが、これは均質社会を良しとする精神の象徴的な一面です。「そもそも挑戦しようとしたのが間違いだ。失敗はみじめであり、だからみんな一緒にいようね」というわけです。

そのため敗者復活の道がなくなります。1回負けたら終わり、という社会になってしまう。

成功すれば妬まれる、失敗すればさらに足を引っ張られる――そうであれば、挑戦せず、目立ったことはせず、大きな船の目立たない漕ぎ手の1人になって、平穏無事に過ごすのが賢いということになってしまいます。

しかも、船の漕ぎ手は多いほうがいいのです。2人ではかなり真面目に漕がなければならないし、それなりに責任もありますが、3人なら時々サボッても船は進んでいきます。4人ならもっと休めるし、5人なら自分一人くらいなにもしなくても船は進んでいく……。

こういうわけで、できるだけ大きな船に乗ることが目標になり、安定した大企業が人気の就職先となります。そこから逆算して、いい大学、いい高校、いい中学というお決まりのレールに首尾良く乗るために、偏差値をにらみながら進路を考えることになるのです。

そのため偏差値に反映されない能力は関心が寄せられず、本人も視野から外します。チャレンジがなく、新しい才能が育たない社会になってしまいます。

大会社という大きな船に乗るための最後の就職活動も、チャレンジなき社会の縮図のような存在です。

皆同じ服装に身を包み、鞄や髪型にも気をつけてひたすら目立たないように気をつけ、マニュアルで指示されたとおりに「志望動機」を語り、「御社は……」と、ホームページから丸暗記してきた「企業価値」を語り、さらに同じような「自己ＰＲ」をします。選んでもらうために、涙ぐましい努力をするわけです。

日本の就職面接では会社が質問をすることがほとんどなのですが、アメリカではむしろ学生が会社に対して質問し、ディスカッションすることが多いのです。この時期は業績が落ちたが、理由はなんだったのか、今後の市場動向をどう分析して、どう対応しようとしているのか、といったことを学生が遠慮なく聞きます。日本では質問するような奴は生意気で、そういう人間は雇うなとなりがちですが、アメリカの就職活動は、むしろ学生が自分の力が最も発揮できる企業を選ぶ機会なのです。

大学教育でも、学生に企業を分析する力を授けています。日本の大学が一般教養で教える経済学は、マルクス経済学などの経済理論の歴史を講義するものが中心です。しかしアメリカでは、例えばノーベル経済学賞を取ったポール・サミュエルソンの『Economics: An Introductory Analysis』という本が教養学部の経済の教科書によく使われます。経済学理論の歴史のことなどなにも出てきません。財務諸表の読み方といった基本事項をきちんと教えます。こういう知識を授けること、実際に役に立つものが教養なのです。だから学生も就職面接で堂々と質問ができます。マルクス経済学を知っていても、目の前の生きた企業のことは分からないはずです。

そもそもアメリカでは、常に自分の市場価値とはなにか、社会に対して、自分がどういう価値を提供できるのかということを、常に考えさせられます。教育のなかでも、仕事のなかでも同様です。

ビジネスマンとして成功したといえるのはどういうことなのか――私はメリルリンチのインターンシップに参加したとき、そのことを教わりました。

それは50歳になったときに、不動産を除いて、現金で100万ドルを持っていることだというのです。

当時、私は30歳になる少し前でしたから、50歳まであと20年余り、その間にどうやって100万ドルを稼ぐのかと考えました。そのために、自分のどういう価値を誰にアピールしていくらのサラリーで契約するのか、自分を見つめつつ、その道筋を描いていくわけです。もちろん軌道修正はありますが、社会に対する提供価値とそれによって自分が得る評価や報酬ということを常に考えています。

会社のなかの自分の立ち位置や社内における評価ばかり気にしている日本のビジネスマンとは大きな差があるのではないかと思いました。

〝アメリカンドリーム〟というと、一代で巨万の富を築くことのような、お金に偏したイメージがありますが、本来は、誰もが平等の機会を得てその能力を存分に発揮し、新たな価値提供を通して社会的評価を得るということだと思います。

同じような意味で〝ジャパニーズドリーム〟はなく、大いに疑問だといわざるを得ません。

失敗して「よかったね!」と言えるようになる

もちろん、アメリカにも安定志向で大企業を目指す人もいます。しかし、日本のようにそれが大多数ということはありません。

部長になるまでには20年も30年もかかるでしょうし、自分のアイデアで新規事業を立ち上げることも、大胆な業務改革に着手する機会もまずありません。

中小企業やベンチャー企業のほうが、思い切った取り組みができ、成功したときに得られるものも大きいと思います。だからアメリカには中小企業に行きたいという学生が多いのです。入社後にストックオプションという形で自社株を将来一定額で購入する権利を得る場合も、すでに上場している大企業では、それほど大きな株価の上昇が見込めないので、うまみは大きくありません。しかし、非上場のベンチャー企業なら、上場時に手持ちの株が莫大な資産となる可能性があります。

私はミシガン大学をはじめさまざまなビジネススクールから講演を頼まれたことがあり、アメリカの学生にも身近に接してきましたが、優秀な学生ほど中小企業を選んでいました。「自分が入って上場させる」と鼻息荒く話すのです。

しかも、アメリカには、失敗を評価するマインドがあります。チャレンジをすれば、失敗はつきものです。そこから教訓を得て再チャレンジすればいいのです。それが一般的な意識になっています。「失敗した？　良かったね。新しいことが学べたんじゃない？」というわけです。

自然科学の世界でも、最初のアイデアや仮説がそのまま順調に新技術や新事業につながったというものなど一つもありません。逆に、仮説の検証のために気の遠くなるような実験を朝から晩まで続け、失敗に次ぐ失敗の果てに、ようやく成果を得たという話ならいくらでもあります。

白熱電球の実用化を実現したエジソンが、長時間使えるフィラメントの素材を求めて６０００種以上の材料を試し、ついに日本の京都の竹に行き着いたという話は有名です。

同じ照明の世界でいえば、高輝度青色ＬＥＤを実用化してノーベル賞を受賞した中村修二教授が、1年半もの間、毎日毎日、反応装置の改良と実験を重ねていたエピソードもよく知られています。

偉大な発明も、膨大な失敗を重ねるなかから生まれるのです。

「私は失敗したことがない。どんな失敗も、新たな一歩となるからだ」とは先のエジソンの名言です。この発明王はこうも言っています。

「私は、決して失望などしない。ただ、1万通りの、うまく行かない方法を見つけただけだ」と。

そもそも失敗しなければ学びはなく、成功するためには失敗が必要です。だから、アメリカのベンチャーキャピタルなどは、失敗した人間のほうをむしろ評価します。一度学んでいるからです。

翻って日本では、失敗したということはマイナスの評価材料でしかありません。一度失敗した起業家に対しては誰もが投資に二の足を踏みます。

しかしこの閉ざされたマインドから、新しいものは生まれません。

失敗する自由、間違える自由こそ、創造の源泉となるものです。それを保障する社会や組織でなければならないと思います。

多様な社会に欠かせない「憲法」について常に議論する

多様なものを受け入れ、それをインクルージョン、つまり包摂しながら新たな世界に踏み出していくためには、同質社会の妬み嫉みの世界から自由になり、失敗を認め合いながら進んでいかなければなりません。そして同時に、共通の理念や志に導かれる必要があると思います。

「私たちが目指すものはこれだ」という共通の理念にドライブされるからこそ、違いを乗り越え、それをパワーに変えて前進していくことができるのです。その共通項がなければ、多様性は形だけの〝野合〟になりかねません。

日本でも今は「企業理念」「経営ビジョン」といったことが盛んにいわれています。しかしほとんどの場合はお題目に終わっているのが現状です。

「社会の発展に寄与する」とか「お客さまの生活の向上に貢献する」といった非常に抽象的な言葉が並んでいて、これでは言っても言わなくても同じです。それを額に入れて掲示したり、朝礼で唱和したりしていても、誰も自分の問題としてとらえていない。メッセージとしての力はまったくありません。

反面、アメリカでは、小学生の頃から合衆国憲法を学び、現実のさまざまな問題にも、常に憲法に立ち返って議論し、考えています。

私が驚いたのは、日本で合弁会社をつくって私が経営の責任者になったときのことです。大統領の一般教書演説（施政方針演説）があったと、アメリカの親会社がコピーを送ってきて、「お前はどう思うか」「経営にどう活かすか」といったことを聞いてくるのです。一所懸命に考えてレポートを返信しました。私があらためて感じたのは、ここまで憲法の解釈や政治施策のことを身近に受け止めながら、経営したり働いたり、学校で学んだりといった日常生活を送っているということです。日本では考えられません。

それはやはり、アメリカが「移民国家」であることに関係しています。

多様な民族や人種、国籍の人々で構成されるアメリカをまとめ上げるものは、合衆国憲法しかありません。日本のように「阿吽の呼吸」「以心伝心」というわけにはいかないからです。だから常に憲法に戻って、そこで一つになるという努力を繰り返していきます。1年前、2年前にこの土地に足を踏み入れたばかりの移民も、すぐにアメリカ合衆国の人間になるわけです。速やかに同化させるのです。

根本的な一致点があるからこそ、多様な人々が多様なままでいることができます。つまり、多様であり、その多様性をポジティブに活かすためには、多様な人々を一つにつなぐ根本的な紐帯が必要なのです。

日本が豊かな多様性をもった社会になり、国になるためには、民族や人種、国籍を越えて私たちを一つにする理念が必要なのだと考えています。

日本が『なくてはならない国』になるためには？ 私の医療立国論

医者をしている息子から聞いて「ほう」と思ったことがあります。ボランティアで世界に医師を派遣している国で、派遣医師数の断然トップはキューバだというのです。

思ってもみませんでした。フランスやイギリス、オランダといったヨーロッパの国のどこかではないかと想像していたからです。

キューバの人口は約1100万人、東京都が約1400万人ですから、それに比べてもだいぶ少ないです。一人あたりの名目GDPも世界で90位（2019年）と、決して豊かとはいえません。しかし、その国が世界で最多の医師を派遣し、世界の医療に貢献しているのです。

もともと教育と医療は無償で誰にでも提供するという国ですから、医師を含む医療資源の充実のために多くの投資をしているのでしょうし、医師の数も多いのだと思います。しかし、世界一であるのは、そこにキューバの国としての意志があるからです。それによってカリブ海に浮かぶこの小さな島国は、医師仲間から、そして貧しさゆえに医療が行き届かないアフリカの小さな国々や紛争地域に生きる人々から慕われています。

それもヒントの一つなのですが、私は日本が国際社会で独自の存在感を発揮し、品格をもった国として尊敬される存在であるために、医療立国ということを真剣に検討したらよいのではないかと思っています。

それはいまだに「GDP世界第3位の経済大国」の虚像にしがみついたり、マンガやアニメ、日本食といった限られたファン層にしかアピールできないようなものを一所懸命自慢している現状を打開し、世界からリスペクトされる存在になることを可能にします。日本人自身が国際社会における自分たちの立ち位置を、胸を張って語れるものにもなるはずです。

「国家の品格」を語る人は少なくありません。しかし、日本の美徳のようなものを独りよがりに語っても、それは世界から認められるものにはなりません。世界に対してなにができるのかを積極的に語るものでなければならないと思います。

私は、医療を日本という国の〝ブランド〟にして、多様な人々を世界から集め、世界に貢献すればいいと思うのです。

ざっと計算してみても、国防予算に5兆5000億円も投じていることを考えれば、医療立国は難しくありません。

まず、世界最高水準の医療機関（約5000億円規模のものを2カ所）を創り、世界最高レベルの医療学者・医者を世界中から年俸1億円程度で、1000人ほど集めるのです。さらに医療を志す学生を世界から1万人ほど集め、授業料は無料として、生活費として500万円から1000万円を補助します。

これだけのことをしても合計金額は、約1兆2000億円。しかも施設は一度作ればあとは運営費だけです。

また医療の資格は、一般的に弁護士や会計士同様、取得したその国でしか通用しませんが、日本のこのような医療機関で学び、資格を得た人は世界共通資格としてそのままで医療を提供できるようにすれば、日本で学び資格を取って、世界で活躍したいと思う人は増えるはずです。

日本に行けば、世界最先端の医療が無償で学べ、かつ、卒業後は世界で活躍できる。日本の高度医療なら治る――世界から人が集まるはずです。そしてそれは、日本という国を多様性に富んだ活力ある国に変えるに違いありません。

さらには、医療で世界に貢献する「人道的国家」は、誰からも攻められることはありません。そんなことをしても国際社会全体にとってのマイナスになるだけだからです。医療立国の施策は、同時に軍事的な兵器に依存しない国防政策にもなるのです。

1961年1月にアメリカ大統領に就任したJ・F・ケネディは、選挙中に公約として掲げた平和部隊（Peace Corps）構想の実現にさっそく取りかかりました。これは発展途上諸国にアメリカの大学卒業生を派遣し、技術教育をはじめとする開発計画の支援を行おうというものです。

最低2年間、開発援助に協力。現地で教育、農業技術、公衆衛生、家内工業、英語教育の普及などに従事します。滞在中は現地の人々と同水準の生活をする決まりです。現在も継続され、日本の青年海外協力隊もこの平和部隊をモデルとして誕生しました。

60年前のアメリカでできたことです。海外に出て行くのと、国に招くのと、スタイルこそ異なりますが、世界に向かって国としての理想の旗を高く掲げる点では同様の取り組みです。今の日本の情報力や知見、ネットワークを駆使すれば、この医療立国への取り組みができないはずはありません。

これをコアに進めていけば、多くの人たちが日本に来ることによって多様性は自ずから醸成され、日本文化もより深く知られることになります。

理念を世界に向かって高く掲げ、そのもとに志をともにする多様な人々を結集させること――それが、内に閉じた世界で肩を寄せ合い、仲間褒めで自己満足している今の日本への私の提言です。それは、いつの間にか国際社会でどんどん影の薄い存在へと下降し続けている日本を、再び活力のある国へと反転させていくきっかけになるに違いありません。

特別対談1　坂東眞理子×鈴木雄二

危機のなかにある日本――居心地の良さを脱することから

緊急時でも「強制ができない」それが日本の限界

坂東　鈴木さんとのお付き合いは、友人のそのまた友人の紹介がきっかけだったと思います。鈴木さんは知り合った人をとても大切にする方で、広くて魅力的な人脈をもっていらっしゃる。

鈴木　坂東さんとは本当に長いお付き合いですね。亡くなった妻も大ファンでした。著書をいただいたのがきっかけです。私が三河の超男尊女卑の家の出身で、だから姉や妹も何事につけて男を立て、男に尽くすような立ち居振る舞いが染みついている。日本に来た当初、妻は相当違和感をもったらしいのだけれど、坂東さんを知って、「なんだ、こういうすばらしい女性も日本にいるじゃないか」と、びっくりしたり、安心したりしたようです。

坂東　奥さまは、学者としても、女性としても、主婦としてもすばらしい女性で、私こそファンでした。

鈴木　ありがとうございます。ところで世界経済フォーラムが公表した「ジェンダー・ギャップ指数2021」で日本は120位でしたね。

坂東　日本の女性も管理職や役員や国会議員になる人が増えているので120位という数字には驚く人が多いと思うのですが、ほかの国で女性が社会進出しているスピードに比べると、その歩みがいかにも遅いんですね。

コロナ対策にも共通した傾向を感じるんですが、結局、強く強制的な命令ができない社会なんです。コンセンサス重視で、みんなが反対しないようなことしかしないから、変化がとても遅い。女性活躍推進の場合も、一部には、やっぱり女性は家庭にいるべきだとか、母親が子どもを育てなかったらどうするんだといった古い考えの人たちもいるから、女性は家庭も仕事も両方目配りをしながらやっていきましょうね、といったところに落ちつく。ほかの国は、例えば3割は女性がいなければ認めないといった強制策を取っているけれど日本は絶対しません。

鈴木　かつてアメリカの本社で黒人の雇用を増やしたのも、強力なトップダウンによるものでした。ティッセンがM＆Aで経営に入ったときに、管理部門に黒人が一人もいないことを知って、20％は雇用しなさいと命じたんです。だからすぐに実現した。物事を前に進めるときには、そういうパワーが必要ですね。

それにしても、アメリカ海軍では女性のアドミラル、つまり提督が誕生しています。部下は約4000人だそうです。海軍大将として艦隊を率いるんですからすごい。女性の活躍という意味で、アメリカやヨーロッパは、本当に勢いがありますね。

坂東　バイデン政権の陸軍長官も女性です。能力主義が徹底しているんですね。でもアメリカではまだ女性大統領は誕生していない。その点ヨーロッパでは、ドイツのメルケル首相とか、EUのライエン委員長とか、女性がトップに立っています。フィンランドの首相は就任当時34歳の女性で、内閣は女性12人、男性7人という構成です。ノルウェーでは、上場会社はどちらかの性が4割を上回ってはいけないと法律で決めました。経済団体がそんなことをしたらノルウェー経済はつぶれてしまうと大反対したのですが、蓋を開けてみると、いろいろなところに力のある女性がいて、ノルウェー経済は以前よりもさらに元気になったんです。日本ではとてもできません。私が内閣府の男女共同参画局長だったときに、2020年までに30％を女性管理職にという目標を掲げましたが、皆さん頑張りましょう。よろしくお願いします、で終わりでした。現在の達成率は7・5％に過ぎません。

鈴木　活躍する女性は増えているけれど、欧米に比べたらまだまだなんですね。

坂東　20年、30年前と比べたら確かに女性たちを巡る環境は少しずつ良くなってきてはいるんです。私たちくらいの世代だったら、勉強好きの頭の良い女の子でも短大でいいよね、というのが当たり前でした。今は、どんどん4年制大学に進学するようになっています。ただ、アメリカとかヨーロッパでは、すでに女子のほうが学歴が高いんです。大学・大学院を卒業している人の数は、OECD諸国では女子のほうが多い。

鈴木　男女が逆転している。

坂東　ところが日本は、4年制大学に進む女子が増えたといいながら、数では男性よりも

40年超のお付き合いになる坂東眞理子さんと

7・4%低いんですね。

ぬるま湯に浸かり過ぎて、〝茹でガエル〟化する日本

鈴木　まだ改善の余地は非常に大きいわけだけれど、気になるのは今のままでいいんじゃないの、という気分があることですね。

坂東　日本は特別だから、という考え方の人がまだまだ多いんです。女性政策もアメリカやヨーロッパ、オーストラリアではやっているかもしれないけれど、日本で同じことをするといろいろ問題が起こるから日本は今のままでもいい、と言う人が多い。こんなに清潔でこんなに安全で、みんなこんなに優しくて、きめ細かく気を使う、こんな良い国はないと思っている。日本は良いところだからこれでいいんだ、という暗黙の了解になってしまっています。

鈴木　とにかくみんな仲良くという国ですね。合弁会社をやっていた当時も、そういう場面によく出くわしました。取締役会で議論が沸騰しそうになると「鈴木さん、ここは日本だ。和を以て貴しとなす、ですよ。聖徳太子以来、日本はこれでやってきたんだからね」と。これでは会議をやる意味がないですね。

坂東　「おっしゃることは正論ですが……」とか。

これは私の仮説ですが、日本はこの30年間、中国やほかのアジア緒国と比べて、経済が足踏みして、どんどん衰退している。それに反発する人たちが、ほかの国の成功を素直に認めたくないから「でも日本は良い国」とか「日本の女性の細やかさはすばらしい」と言っているのだと思います。そうやって現実から目を背けている。

鈴木　私は〝茹でガエル〟の話を思い出すんです。なまぬるいお湯の中でゆっくり温められていくと、気分がいいから知らない間にすっかり茹で上がってしまう。熱いお湯の中にいきなり放り込まれたらすぐ飛び出すのにね。今の日本は茹でガエル軍団です。

坂東　本当にそうですね。日本人はお互いに「これでいいね」って慰め合っているんです。結局、ゆっくり落ちていく。

鈴木　自分で良い国だ、美しい国だと言っているだけで、じゃあ、グローバルな世界で、日本を真似てみようという国がどれだけあるか。ないでしょう。

坂東　居心地の良い日本で安定した生活が続くと思い込んで将来もなんとかなると思っているんですね。ほかの国は競争の場で勝ち抜こうという意欲がとても強いんだけれども、日本の場合、国内で通用すればそこそこ安楽で快適な生活ができるから無理することはない、という意識になるんです。日本の子どもたちも、ほとんどの子は大学入試でブランド校に入りさえすれば、ちゃんと勉強しなくても、あの大学を出ているんだからと評価されて、ちやほやされる。私がハーバードに留学したときにいちばんびっくりしたのは、東大の学生に比べてハーバードの学生は本当に勉強している、たくさん本を読んでいる、たくさんレポートを書いている、ということでした。勉強の量がすごかった。でも日本の学生は入学するために精力を使い果たして、入学したらさあ遊ぼうとする。

鈴木　日本の大学はオアシスで、休養の4年間なんですね。

挑戦しなければなにも始まらない

坂東　今日本は危機のなかにいる。これをなんとかしなくては、という〝居心地の悪さ〟が日本には必要じゃないかと思います。若い人たちを見ていると、偏差値で位置づけ、自分は平均的なそそこの人間で、とても優れた特別な能力のある人間じゃないと思い込んでいる人がとても多いんです。特に女子の場合、「どうせ私は女の子なんだから無理しなくていい」と考えている。明確に諦めているわけではないけれど、頑張れば世の中は変わるといった自己肯定感というか自己効力感をもてない子がとても多い。それは日本の将来を考えるときに、危険だなと思うんです。意識調査などを見ても、中国やアメリカの青年が、自分は世の中を変えたり影響を与えたりすることができる、自分は価値のある人間だと思っている割合が8、9割なのに対して、日本は3割程度です。女性も同じで、自分一人が頑張ったところで世の中は変わらない、と諦めてしまっている。だから、自分が困難に立ち向かって、そのなかでこれはやれたとか、失敗したけど、そのなかから立ち上がったとか、そういう成功体験をもつことがないんですね。頑張らなくても与えられたり、これは危険だからやめておけと言われて守られたりしてきた。でも、それはもったいないと思うんです。「やればできるんだよ」と、「もっと自分の可能性にチャレンジしよう」と、背中を押したい。

鈴木　日本の社会は、限りなく敗者復活戦ができない仕組みなんですね。一度失敗したら終わる。

坂東　だから敗者にならないように自粛する。

鈴木　リスクを取るということを躊躇するんですね。だから、失敗してもいいんだ、敗者復活のチャンスはいくらでもあるという仕組みやマインドを育てなければいけないですね。

坂東　１００の課題があって自分は90の力しかなくて90をやり遂げてもね、うれしいという自己効力感はないんです。１１０、１２０くらいの、自分にはちょっと無理かなという課題に向かって、失敗するかもしれない、だけど挑戦してみようと取り組んで、そしてやったぞ、うまくいったぞとなれば、自分も成長するし、自己肯定感も湧いてくるわけです。

そもそも学校などでは、競争させないとか順位を付けないということをやっています。ビリになると心が傷つくからゴールはみんなで、お手手つないで一緒にゴールしましょうとかね。でも、かけっこではビリだけれど、音楽では一番だとか、人間っていうのはダイバーシティ、多様な存在であって、みんながすべての能力をバランス良くもっているわけじゃない。いろいろ差があることをもっと認めなければならないと思いますね。

鈴木　私は鈍足でね、でもあるときリレーで肝心なアンカーが休んでしまって、しょうがないから1回だけ出たことがあるんです。でも私が走ったおかげで、それまで2位くらいだったのにビリになった。みんなにボロクソ言われたんだけど、それは事実だから、受け入れるしかなかった。走るのはだめだから、違うことで頑張ろうと思いました。おかげで走るのはだめだけれど、水泳は自慢できる。

坂東　つらい経験がモチベーションになるんですよね。それなのに失敗したらかわいそうだから、心が傷つくからつらい経験をさせないようにしようとして、自分のありのままの能力を知らないまま育ってしまう。

鈴木　それにこれからは、日本の社会にずっといるわけじゃないですね。日本ではなんとなく過ごせたかもしれないけれど、違う世界におかれたときに、存在感を示すことができなくなるでしょう。

「ありのまま」「自分らしく」で逃げていない？ いくつになっても成長し続ける人間であってほしい

鈴木　坂東さんは長く教育界にいるわけだけれど、どんな人間を育てたいですか。

坂東　私は日本がこのまま、ありのままにとか、自分らしくとか、自然体でというようなことを言っていたら、ますます沈没していくと思います。人間も動物だから、楽はしたい、お金はたくさんあったほうがいい、おいしいものは食べたい、異性にもてたほうがうれしい、という気持ちはあるでしょう。でもそれさえあればいいと考える人ばかりの国になったら、世界から尊敬されるような国にはなりません。ありのままではなく、少し無理しても正しいことをしなければならないとか、自分が損をしてでも正しいことをやるべきだと、理念のための行動を起こせるかどうかだと思います。実はこれはね、日本の武士道とも共通項があるんですね。ありのままの動物的な欲望に踊らされることなく、やせ我慢でも本当に自分のなすべきことを考えてなす、そういう人が社会には1割でも2割でもいなければいけないんだと思います。本当のエリートというのは、世のため人のために行動できる人。正義のために行動できる人、だと思うんですよ。

鈴木　確かに理念に対する忠実性というのは、日本は非常に薄いですね。企業でも多くのところが掲げているけれどあくまでお題目で、それが自分の仕事や行動を律するものには到底なっていない。その点アメリカは、理念の国です。小学生のときから合衆国憲法を教えている。憲法ではなにが掲げられていて、それに違反するとはどういうことなのか、徹底して教えます。アメリカにいたときにＩＢＭで教わったことだけれど、あの会社のモットーはThinkですね。ものを考えない人はうちの会社では不要ということを明確にしていて、それを実現するためのポリシー、具体的なオペレーション、教育などが見事に体系化されていました。理念を明確にして、それをいかに達成するかということをしっかりと考えています。

坂東　私は高齢の方たちに講演するときがありますが、そういうときは、「皆さんは今のままでいいと思っていませんか？　ありのままに、人の邪魔にならないように、人に迷惑をかけないように生きればいいと思っていませんか？」って聞くんです。そうではなく、ありのままの自分よりも少しでも良くなるために努力しましょう。今のままでいいよと思ったら、人間おしまいです。よりベターな人間になるように努力しましょう、と呼びかけているんです。昔分からなかったことが分かるようになったとか、人の気持ちを思いやることが昨日より少しだけできるようになった、というのが生きている意味だと思うんですね。

自分自身が確固とした価値観をもつことが大切

坂東　日本で国際的に活躍する人のイメージは、お金儲けで成功する人、偉くなる人、権力をもつ人、といったイメージではないでしょうか。私は学生に、そういう国際人ではなく、今あなたの力を必要としている国や人がたくさんいる、そういうところで役に立つ人になりなさいと言っています。そのためには、どこに行ってもどんなものでも食べて、生活できること。体も心も健康であること。それから、現地の人が必要としているスキルをもっていること。そしてもちろん自分たちの価値観を押しつけないことだと教えています。この人たちは本当はなにが欲しいのか、やりたいことはなんなのかということについて感受性があること。それが国際社会で生きていくために不可欠だと思います。

同時にもう一つは多様な価値観を認める一方で、自分自身も確固とした価値観をもたなければいけないと思うんです。相手に合わせましょう、ではなくてね。相手を受け入れるだけではなくて、私はこう考えるという自分のアイデンティティ、価値観をしっかりもっていないと国際的な舞台で確固とした存在感を示すのは難しい。ぜひ、そういう人を目指してほしい。

鈴木　日本人は気持ちが優しいから、つい相手に合わせてしまいます。しかし、自分はどう生きるのか、それを突き詰めないといけないですね。それがあるからこそ、相手が見えてきて、深いところで理解できる。坂東さんがおっしゃるように、多様性を享受するということは、そこから始まるのだと思います。

坂東眞理子（ばんどう・まりこ）
昭和女子大学理事長・総長
富山県生まれ　東京大学卒業後、総理府入省。内閣総理大臣官房参事官、統計局消費統計課長などを経て男女共同参画室長。その後、埼玉県副知事やブリスベン総領事を経て2001年〜2003年　内閣府男女共同参画局長。2004年から昭和女子大学大学院教授を勤め、2007年昭和女子大学学長、2014年昭和女子大学理事長、2016年昭和女子大学総長に就任。『女性の品格』『日本の女性政策』『日本人の美質』『女性の知性の磨き方』『女性リーダー4・0　新時代のキャリア術』『言い訳してる場合か！―脱・もう遅いかも症候群』『70歳のたしなみ』『賢く歳をかさねる人間の品格』『幸せな人生のつくり方』など著書多数。

特別対談 2　広中平祐×鈴木雄二

間違えない人間はいない。その経験が人を新たなスタート台に立たせる

特異点解消は、つまりダンボールにすること

広中　鈴木さんと僕はね、知り合ったのはそんな昔じゃないんですね。20年くらい前かな。

鈴木　坂東眞理子さんがつないでくれたご縁ですね。坂東さんが友人の広中和歌子さんを紹介してくれ、ご主人が数学者の広中平祐さんだということは知っていたので、後日、私のほうからお2人を誘って私の妻と四人で食事をしました。そのとき妻が、私と平祐さんで数学の話で盛り上がるんじゃないかと気にして、そうなると和歌子さんも妻も話から外

れてしまう。それで妻は話がそちらに行きそうになると、テーブルの下で私の足を蹴るんですね。間違って世界的数学者の足を蹴ってなきゃいいけどと、ヒヤヒヤしたのを覚えています（笑）。

広中　いや、蹴られた記憶はないですよ（笑）。

鈴木　もうだいぶ前です。20年くらいになるかもしれません。

広中　最近ふと思うんですが、鈴木さんのダンボールの仕事ね、僕が30代のときに真剣にやっていた数学の研究と一緒なんですよ。一緒といっても意味が違うけれどね。ただ非常に共通したところがある。なにが僕の理論だったかというと、名称では「特異点解消」というのです。ところがね、特異点というのはすっきりした形のものと庭の樹木のように複雑で特異性があって、邪魔をしたりもつれたり、ということもある。その特異点を解消するという考え方があったんです。方程式が複雑になると、途中でもうやめた、となるからね。ところが非常に簡単に特異点を解消できるというのが、30代半ば頃に考えたことなんです。ではなにをしたらいいか、僕はぐちゃぐちゃしたものをダンボールにすればいいということに気づいたんです。そうすれば計算が非常に楽になる。正四角形といえば、すっきりして計算もしやすい。操りやすいわけです。それに気づいて論文を書き始めた。だから、僕が思いついたのはダンボールなんです。複雑なもの、特異性をダンボールに置き換えて計算すればいいと。

鈴木　どのような定理を使えば、特異点のある図形を、特異点のない図形に変換できるのか。それこそが、「特異点解消」と呼ばれる問題で、広中さんがハーバード大学で研究を続けて、この定理を世界で初めて証明されたわけですね。この業績で〝数学のノーベル賞〟といわれるフィールズ賞も受賞された。受賞は1970年でいらしたと思うけれど、ちょうど私がシカゴ大学からダンボールの会社に移ろうかという頃ですね。広中さんにとってのダンボールは、理論的研究のヒントですが、私にとってもダンボールは、貧しいなかでもっぱら妻を食わ

広中平祐氏

せるために関わった即物的な世界でね、だいぶ違います（笑）。

ピアノも数学も……。「これだ!」と思ったら、のめり込む

広中　私は中学生の頃に、ピアニストになろうと思ったことがあります。中学2年生が敗戦の年で、山口県にいました。玉音放送があって、子ども心に世の中がぱっと明るくなった。女子学生のなかに上手にピアノを弾く子もいたんです。でも男子学生には一人もいなかった。友達に「お前もやってみろ」と言われ、僕もその気になって、音楽家になりたい、ピアニストになりたいと思ったんです。学校にピアノがあったから、毎朝30分早く家を出て、誰もいないときに練習していた。僕はこれだと思ってやり始めると没頭するんです。先生も楽譜をくださった。でも、あるときみんなの前で弾いているときに、途中で分からなくなって、弾き続けることができなかったんですね。先生は、「いいんですよ」と言ってくれたけれど、生徒仲間にはからかわれるし、ペダルを使っていなかったと言われて「ペ

ダルってなんだ？」となった。それで「広中、お前、ピアノ諦めろ」ってまわりに言われて、考えてみたら家にピアノもないし、僕の家庭は兄が２人戦死している。僕が事実上の長男で、下に８人いたんです。国語の先生だったかな、「とにかくあなたがピアニストになるのは無理だ、やめたほうがいい」と、とても丁寧に説明するんです。

しょうがないなと思ってやめて、それでなにをやろうかなと思って数学でもやろうかなとなった。数学か物理、化学でもやろうと思って、京都大学に入りました。でも、物理も化学も面白くない。僕にはどうも数学が合っているんだと思って、本格的にやりだしたんです。ここでも、のめり込む性格が出ました。その頃、ハーバードのオスカー・ザリスキ先生が来られて、１週間くらい講義して帰られるときに、京都大学の秋月先生が私を呼んで、駅までザリスキ先生ご夫妻をお送りしなさいと言われた。別れ際に〝I wish see you again〟と言ったら、奥さんが「wish ではなく、hope ですよ。あなたは優れた数学者になる力がある」って言ってくれたんです。実際その後、ザリスキ先生が僕にハーバードに来ないかと誘ってくださった。でもお金がありません。どうしたらいいんですかといったら、フルブライトのテストを受けて奨学金をもらいなさいと。

それで受けてみたんです。まず英会話のテストがあって。最初の質問が“What is your hobby?”でした。ホビー? 聞いたことないなと。そんな言葉が辞書にあったかな? 方程式にあったかな?と、ばかみたいに考えてた。沈黙していると、もう帰りなさいって言われて、これはダメだと思いました。まあ、留学なんかしなくても、数学者にはなれると内心強がってそのままにしていたんです。そしたらフルブライトから手紙がきて、条件付きで奨学生にすると。ネイティヴなアメリカンから3カ月英会話の指導をしてもらい証明書をもらったらOKだというのです。また本気になりました。それで先生を探して、習って、最後には証明書を書いてもらった。それでハーバードへの留学ができました。あとで聞くと、ザリスキ先生が非常に丁寧な手紙をフルブライトに書いてくれたらしいんですね。

鈴木　きっと京大の秋月先生も広中さんを見込んで、先生ご夫妻を駅まで送っていきなさいとおっしゃったんだし、ザリスキ先生も、すごく広中さんを買っていたんでしょう。

要するに2人の先生は〝目利き〟だったんですね。広中さんに目をつけた。私もシカゴ大学のカウンセラーをやっていて頼まれる仕事の一つに、世界のいろんな国に行った機会に若い学者や先生を探して大学に送り込んでくれというものがあります。奨学金は出すか

著者の自宅で語らう昼下がり。話題は数学からピアノ、教育まで幅広く

らというのです。私はベトナムのゴ・バオ・チャウさんを紹介したのですが、この人も数学者で、2010年にベトナム人として初めてフィールズ賞を受賞しました。

広中　ザリスキ先生は「生活費は足りているか？」とか本当によく私を気遣ってくださってね、あるとき正直に「生活費は大丈夫ですが、論文を書くタイプライターが買えません」と言うと、「そうか」と言ってすぐポケットからお金を渡してくださった。本当に忘れられない恩師です。

一度、失敗した人間のほうがいい、という発想は日本にはない

広中　ザリスキ先生の研究も「特異点の解消」で、先生はずっと僕の指導をしてくれました。それがあったからこそ、このテーマでフィールズ賞まで取れたと思っています。僕はね、鈍才なんです。数学だからそれが良かったと思うんですね。数学というのは、少しぼんくらのほうがいいんです。頭が良過ぎると式をすぐ書き出す。式が非常に複雑になって、どっかで詰まってしまう。僕はそれができないから、式を3つくらい書いて、ずっと眺めているわけです。そして目をつぶって考える。考えに詰まると昔、一所懸命にやっていたピアノの曲が頭に浮かぶんです。するとなんとなくできるような気がしてまた熱中してやる。鈍才というのもいいもんですよ。天才は複雑なものにこだわるんです。それで突き抜けていく人もいますが、僕のような鈍才は目をつぶって考える。式を書き出すと必ずおかしくなるからね。式を書くと、先生、間違ってますよって学生に指摘される（笑）。

鈴木　それにしても、アメリカが世界から頭脳を集めるパワーはすごいですね。広中さんは別格ですが、私のようなできの悪い学生まで網に掬い取られた。世界から頭脳を集めようと国策として取り組んだわけで、こういうときの徹底ぶりはすごいと思います。広中さんならホビーなんて単語は知らなくてもいいと見抜いて、選考ルールを変えてもとにかく取るということをするわけでしょう。日本だったら、こんな例外は絶対認めないですね。そのせいでどれだけ損をしているかと思います。

広中　アメリカ人が面白いのは、なにか思いついたらがむしゃらにやる。ああいうことは日本でなかなかできないですね。それから、杓子定規にルールを振りかざすことはしない。ハーバードの教授をやっていたとき、ニューヨークから実業家がやってきて、あなたの教え子で優秀な生徒がいたらスカラシップを出して応援するから、推薦してくれというのです。いずれビジネスでも任せたいからと。どんな人を選んだらいいですか?と聞くと、これが傑作で、成績なんか悪くたっていい。できたら一度、会社を興して失敗した人間がいい。そういう人物を紹介してくれっていうんです。日本ではこんなことは絶対にないね。一度失敗した人間には金は出さないでしょう。しかしアメリカは逆で、破産して困ったことがあるような人間を紹介しろというんです。そういう人間を育ててみたい、と。

鈴木　日本の社会は基本的に敗者復活戦を認めないんですね。仕事でも、失敗したら出世の階段を下ろされる。アメリカは敗者復活戦がいろいろあるし、だから転職も盛んです。しかし日本では、履歴書を見て、2回も転職していたらもうダメです。人事部からも2回以上転職した人間は取るなとお達しが出る。

もともと日本人はレッテルを貼るのが好きなんです。日本人だ、韓国人だ、中国人だ、1回失敗したとか、どこどこの大学だとか。だから、海外の絵なんかでも有名な人の名前がついていたら、偽物でも買っちゃうんですよ。

広中　敗戦後の子どもの教育っていうのはね、それなりの面白さがあったんですよ。ファイトがあった。人間の迫力っていうものがどうしてできるのか、研究したらいいんじゃないか。明らかに今、日本人は迫力不足です。

鈴木　文明の流れというか、豊かになると、迫力がなくなって落ちるようになっているんですかね。私は世界中でビジネスをしているので、国による違いがよく分かるのですが、中国人とかベトナム人は、若い女性も男性も、本当によく働き、よく勉強します。日本とは比較にならない迫力がある。豊かなところはどうしても緩やかです。餓死するということもない。豊か過ぎるから何事もスローペースですね。

モビリティに富んだ社会をつくる

広中　僕はよく間違えをするんです。計算間違いです。「数学者が計算間違いなんて」と言われるけれど、数学者でも間違えさせてくださいよ、と言いたいね（笑）。そこで一つの新しい理論ができるかもしれません。間違ってもいい。自慢にはならないけど、間違ってもいいということを教えたらいい。間違えたあとでは世の中の見え方が違ってくるということもあります。間違えないということは、人間の世の中にありえないと思ったらいいんじゃないかな。間違いだと言われれば、「3カ月待ってみろ。全部直してやる」という意欲が出てくる。いいことですよ。意欲があるからなにかが生まれる。考えることに価値があるんですよ。

鈴木　それに数学とかサイエンスは、間違っていると言われてもね、不思議と腹が立たないですね。間違える可能性はどこにもあり、間違えたら直せばいい。ところが、哲学や文学は非常にドグマティックになりやすく、常に俺は正しいというところがある。だからダイバーシティには数学的言語が必要です。

広中　それにしても、日本から海外に出る留学生が減ったね。どうしてだろうといろいろ考えるんだけれど、背景にあるのはインターネットですね。発表間もない論文とか海外に行かなければ読めなかった論文や手に入らなかった書物が、今はあっという間に手に入ります。海外の著名な研究者の講義も動画で見ることができる。往来も盛んで、1年間、海外から先生が招聘されるといったこともある。海外に留学しなくても、日本で手に入るものが非常に増えているんです。つまり、情報環境が整ったおかげで、なんでわざわざ外国に行くの？となってしまった。日本にいたほうが気が楽だ、と後退した面があるんです。

鈴木　留学を終えて帰ってきたときのポストを気にしているという話も聞きますね。

広中　行くにしても、地位をもらってからという人は増えていますね。大学院を出て、講師や准教授といったポストを得てから行きたいと。

自宅の庭で。庭の飛び石も木々の枝も、すべて数学者の目線で見て楽しむ広中氏

でも、いずれにしてもね、留学には人間から学ぶという魅力があるんです。留学生同士で議論をすれば、単に知識だけでなく、この人はこんなことまで考えるのかとか、そういう発見がいくらでもある。話をしながら目の前の相手に学ぶということがあるんです。だから、行くべきなんですね。

それから僕が思っているのは、企業間の社員の行き来を促すようなモビリティ策です。

違う会社で2年なら2年働くことを認め、かつ国が移動先の給与を保証する。知識も増えるし、それまでの会社にいたままでは絶対に得られないような異種の知見も手に入る。それがきっかけになって、海外に出てみようといったことになるかもしれません。戦後の日本は、30年かかって復興したんです。それを考えれば、これから30年がかりでやると考えればいい。

鈴木　いろいろなことを経験すること、そしてチャレンジすることですね。私も自分に、一生は1回だと言い聞かせています。チャレンジがなければ、ますます日本は地盤沈下していくでしょう。コロナ禍は図らずも世界を同じスタートラインに着けてくれました。今こそ考え抜くことが求められていると思いますね。

広中平祐（ひろなか・へいすけ）
1931年山口県生まれ。京都大学理学部卒業、ハーバード大学大学院数学科修了。コロンビア大学教授を経て1968年にハーバード大学教授。1967年に朝日賞受賞。1970年に日本学士院賞受賞、「標数0の体上の代数多様体の特異点の解消および解析多様体の特異点の解消」でフィールズ賞受賞。1975年に文化勲章受章。京都大学名誉教授、ハーバード大学名誉教授。京都大学数理解析研究所元所長。山口大学元学長。1979年から私塾「広中教育研究所」で中・高生を対象に数学教育に注力。また数理科学の研究者の育成、数学者の交流や国際間の連携などを目的に「数理科学振興会」を発足させた。和歌子夫人は元参院議員で細川内閣で環境庁長官を務めた。著書に『生きること学ぶこと』（集英社文庫）、『人生は六十歳から』（共著、ダイヤモンド社）、『心とコンピュータ』（共著、ジャストシステム）などがある。

おわりに

アメリカの重量物ダンボールの会社に入社する前、私はシカゴ大学の大学院で学び、数学者として研究生活を送っていました。ビジネスの世界に入ってもう半世紀以上が過ぎましたが、今でも、シカゴ大学の運営に携わる人たちとはお付き合いが続いています。

最近しばしば耳にするのは、「日本からの留学生が激減している、いったいどうしたのか？」という話です。「鈴木さん、ぜひ学生を連れて来てください」と頼まれています。

本書で対談に貴重な時間を割いてくださったお一人である広中平祐さんも、日本の学生が海外に行こうとしなくなった、というお話をされていました。

統計などを見ると、日本人留学生はそれなりの数を維持してはいます。しかし、増えているのは英語習得のためのごく短期のもので、大学や大学院でじっくり腰を落ちつけて研究生活を送るような留学は残念ながら激減しています。

広中さんは「日本の学生は、どうしてこんなに迫力がなくなってしまったのか」と首をひねり、急速に発達したインターネット環境が、居ながらにしてどんな情報でも手に入る社会をつくったことがマイナスに影響しているのではないか、とおっしゃっていました。同じく坂東眞理子さんも「今の若い人たちは、無理をしなくても安楽な生活を与えてくれる日本に居心地の良さを感じてしまっている」と指摘されていました。

私もお2人に同感です。

今の社会や将来に対する根拠のない安心感、納得感のようなものが、特に若い人のなかに広がっていることに、私も大きな危機感を抱きます。このまま「日本はそこそこうまくやっている」という安易な肯定感が定着すれば、いつの間にか日本は世界に取り残され、経済はもとより、精神的にもたいへん貧しい国に堕してしまうのではないかと思います。

私が柄にもなく書籍の出版を思い立ったのは、ひとえにその危機感からでした。

高校を終えてアメリカに留学して以来、今日まで私は人生の大半を海外で過ごし、妻をはじめ、人種も民族も国籍も異なるさまざまな人のなかで、生活をし、仕事をしてきました。私の財産は、日本を出たからこそ出会えた、たくさんの人々です。

初めからなんとなく分かり合えてしまう「以心伝心」の仲間は、確かに気のおけない、楽をさせてくれる存在だと思います。もちろんそのなかにも、かけがえのない友人となるすばらしい人がたくさんいます。しかし、そうした日本人同士の気心の知れた関係のなかでは決して得られない学びや刺激を与えてくれる人が「安楽な日本」の外に間違いなくいるのです。実際私は、数え切れないほど、そのような人と出会い、人生の宝物にしています。

本書で私がお伝えしたかったことを一言でいえば、日本という殻を破れば、そこには生涯忘れられない出会いがきっとあるということです。

本書をお読みいただいた方が一人でも多く、日本の外に広がる世界に足を踏み入れてくださったらたいへんうれしく思います。

ご多忙のなか、またコロナ禍でなにかと落ちつかない世情のなか、快く対談をお引き受けくださった坂東眞理子さん、広中平祐さん、ありがとうございました。心からお礼申し上げます。

そしてダンボールを通じて苦楽をともにしてきた世界の友人に、心からの感謝の気持ちを贈ります。どうもありがとう。

最後に、私が若い頃から大切にしている言葉をご紹介します。

「Life without the challenge and experience is not worth living（経験とチャレンジなき人生は生きるに値しない）」――20世紀イギリスの哲学者、バートランド・ラッセルのものです。

人生は一度しか生きることができません。私はラッセルの言葉を信じながら、思いのままに、挑戦を続けてきました。何事も死ぬ気でやれば世界は開かれるという実感があります。夢は実現しようがしまいが大きいほどいいのです。

これからもチャレンジを続けていきます。

鈴木雄二

鈴木雄二（すずき　ゆうじ）

トライウォールグループ取締役会長・CEO
ブラジル・サンパウロ市出身。

シカゴ大学大学院数理統計学修士。

1972年1月、トライウォールコンテナーズ アメリカ本社（NY）入社。

1973年9月、同社・福岡製紙株式会社との合弁契約締結。

1974年2月、トライウォール福岡コンテナーズ（日本）株式会社（トライウォール株式会社の前身）設立、1996年1月末まで同社総責任者。

1995年12月、トライウォール株式会社を独自資本にて再設立、同社代表取締役社長。

1996年2月より事業を開始。

2010年6月、グループ持株会社の拠点をトライウォール株式会社からトライウォールリミテッド（香港）に移転。会長兼CEO。

本書についての
ご意見・ご感想はコチラ

多様性《ダイバーシティ》が日本を変える

2021年9月22日　第1刷発行

著　者　　鈴木雄二
発行人　　久保田貴幸

発行元　　株式会社 幻冬舎メディアコンサルティング
〒151-0051　東京都渋谷区千駄ヶ谷4-9-7
電話　03-5411-6440（編集）

発売元　　株式会社 幻冬舎
〒151-0051　東京都渋谷区千駄ヶ谷4-9-7
電話　03-5411-6222（営業）

印刷・製本　　瞬報社写真印刷株式会社
装　丁　　泉 智尋

検印廃止

ISBN 978-4-344-93437-5 C0034
幻冬舎メディアコンサルティングHP
http://www.gentosha-mc.com/